위그드라실의 여신들

안전가옥 쇼-트 22

해도연 단편집

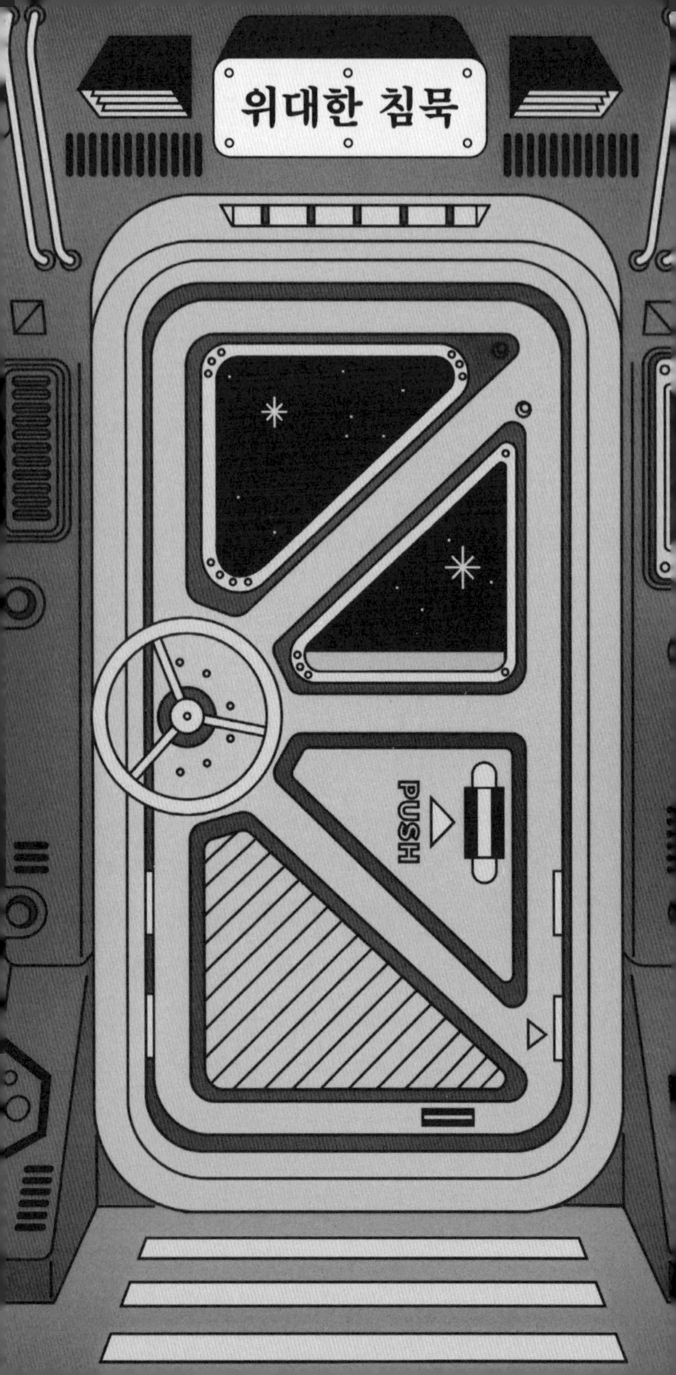
위대한 침묵
PUSH

인텍 루나

1.

침묵은 깨졌습니다.

아니, 침묵이란 처음부터 없었습니다. 우린 그저 잘못된 방향을 향해 귀를 기울이고 있었을 뿐입니다. 전파는 범우주 통신에 적합한 수단이 아니었던 것입니다.

이제 우리에겐 중력파[1]가 있습니다. 한 세기 전, 우리는 중력파를 듣는 귀를 열었습니다. 하지만 중력파 통신은 상상을 초월하는 일이었고, 우리가 중력파 수신과 해석을 자유롭게 하게 된 건 불과 20년

1 질량을 가진 물체의 운동에 의해 발생한 시공간의 뒤틀림이 전달되는 파동.

전의 일입니다.

중력파의 수신과 해석이 자유로워진 직후부터, 우리는 목소리를 들었습니다. 머나먼 우주 어디선가 우리에게 보내는 메시지를 들었습니다. 우주는 결코 외로운 공간이 아니었습니다. 우리가 귀를 열기 전부터, 중력파 메시지가 우주를 가로지르고 있었던 것입니다.

그리고 한 달 뒤, 우리도 그 대열에 합류할 것입니다. 중력파 발신이 가능해지기 때문입니다. 이제 그들의 이야기를 듣기만 하는 데 그치지 않고, 우리의 이야기를 들려줄 때입니다. 우리는 혼자가 아니니까요.

(물을 마시며 3초 정도 침묵)

그동안 인류는 모든 자원을 한계까지 이용해 가며 한 걸음씩 앞으로 나아갔습니다. 비극도 있었습니다. 플루토늄 5년은 결코 잊어서는 안 될 비극이었습니다. 그 사고 이후, 우리는 에너지에 굶주렸습니다. 지구와 화성에서는 에너지 부족으로 내전이 지속되었습니다. 목성계와 토성계의 주민들은 버려졌습니다. 출산이 제한되고 차별과 기아가 이어졌습니다.

사람들은 묻습니다. 어마어마한 에너지를 소비해 가며 중력파 통신을 해야 하는 이유는 무엇이냐고.

답변하기에 앞서 이 점을 분명히 해 두고 싶습니다. 인류를 에너지 위기에서 구한 존재가 바로 인텍입니다. 달의 헬륨3[2]로 깨끗한 핵융합을 실현하고 목성계와 토성계의 주민들을 고용해 지구에 메탄[3]을 공급하기 시작한 존재가 인텍입니다. 인텍에게 있어 가장 중요한 임무는 인류의 존속입니다.

하지만 에너지 위기가 완벽하게 해결되지는 못한 것이 사실입니다. 헬륨3의 매장량은 한정되어 있고, 메탄은 채굴 비용이 어마어마한 데다 공급이 수요를 따라가지도 못하고 있지요. 그럼에도 불구하고 인텍이 항성 간 통신에 아낌없는 투자를 하는 까닭은 인류의 존속을 위해 필요한 두 가지가 바로 에너지와 소통이라고 생각하기 때문입니다. 인간이 혼자서는 살 수 없듯이, 인류도 먼 미래를 생각한다면 홀로 남아 있어서는 안 됩니다. 우리가 우주에서 유일한 지적 생명체가 아니라는 것을 깨달은 이상, 우리는 소통해야 합니다.

중력파는 신의 선물입니다. 신이 내려 준 입과 귀입니다. 그리고 신은 그 속에 힘을 숨겨 놓았습니다. 중력파 통신을 하는 과정 자체가 필연적으로 막대한 에너지 생산과 이어지기 때문입니다.

2 헬륨의 동위원소 중 하나로 핵융합발전에 사용될 수 있다. 지구에는 드물지만 달 표면에는 대량으로 존재한다.
3 목성과 토성의 위성에는 메탄을 포함한 탄화수소가 대량으로 존재한다. 이 물질들은 지구의 천연가스처럼 에너지원으로 사용될 수 있다.

중력파를 만들어 내는 미소 공간[4] 안에 숨겨진 에너지에는 '양'이라는 표현조차 어울리지 않습니다. 사실상 무한한 에너지이기 때문입니다. 인류가 지금까지 사용해 온 에너지보다 훨씬 많은 자원을 눈 깜박할 사이에 얻을 수 있습니다.

중력파 기술은 하나의 관문이었습니다. 중력파 통신은 새로운 차원의 귀와 입을 열어 줄 것입니다. 그리고 이를 통해 얻게 될 에너지는 우리에게 우주를 가로지를 힘의 원천을 제공해 줄 것입니다.

인류는 이제 우주로 나갈 준비가 되었습니다. 모든 것은 이제 시간문제에 불과합니다.

2.

미후는 잠시 고민하다가 마지막 문장에 마침표를 찍고 펜을 내려놓았다. 조금 진부한 표현이 많긴 하지만 이 대본을 읽을 홍보부장에겐 그런 진부함을 인식할 교양이라곤 없었으니까.

미후가 인텍 사(社) 홍보부에 처음 들어왔을 땐 직속 상사들의 대필 따위를 하게 되리라고는 생각하지 못했었다. 상부에선 이런 일에는 젊은 여성의

4 微小 空間. 매우 작은 크기의 공간에 숨겨진 새로운 차원의 공간. 초끈이론에서는 우리 우주가 10차원 또는 11차원으로 이루어져 있으며, 일반적인 공간의 3차원과 시간의 1차원을 제외한 나머지 차원은 '칼라비-야우'라고 불리는 초소형 구조체 안에 숨겨져 있다고 주장한다.

감성이 필요하다며 미후에게 일을 던졌지만 실제로 필요한 건 여성의 감성 따위가 아니라 무능한 상사의 머릿속을 읽고 — 그들이 참고하라고 적어 주는 메모는 쓰레기였다. — 적당한 문장에 녹여 내는 것이었다. 가끔 홍보부다운 일이 들어오긴 하지만 정작 중요 홍보 업무는 회사의 일부 임원들이 직접 다루고 있었다. 의외이긴 했지만, 간혹 사소한 일에 재능을 가진 임원들도 있는 법이었다.

"준비 다 됐어?"

홍보부장의 비서 지아가 미후의 어깨 너머로 고개를 빼꼼히 내밀며 물었다. 비서라고 해도 홍보부장의 부족한 교양을 메꿔 줄 수준을 갖춘 것은 아니었다.

"네. 근데 손으로 쓴 거라서요. 파일로 준비되면 바로 보내 드릴게요."

지아는 오른손 엄지를 치켜세우며 미후에게 윙크를 보내고는 자기 자리를 향해 걸어갔다. 하지만 책상 앞에서 두 걸음 정도를 남기고는 다시 미후를 향해 뒤돌아보며 말했다.

"아, 그러고 보니 크로포드 씨가 미후 씨를 찾고 있던데, 혹시 무슨 일 저질렀어?"

크로포드는 인텍 사의 자회사 중 하나인 인텍 루나의 부사장이었다. 언제나 심각한 얼굴로 복도를 걸어 다니고 엘리베이터에서 마주쳐도 눈동자는커녕 머리카락조차 꼼짝도 하지 않기로 유명했다. 그런 사람이 홍보부 말단 직원을 찾는다고 하니 미후는 등골이 오싹해졌다.

"크로포드 씨가요? 딱히 생각나는 일은 없는데…."

"그래? 나도 사실 그 사람이 먼저 나한테 말을 걸었다는 게 신기하긴 했는데. 무슨 일인지 짐작이 가질 않네. 너무 걱정하진 마. 누구처럼 하지도 않은 일로 시비 걸 사람은 아니니까."

지아는 손가락을 배꼽 부근에 두고 홍보부장의 방을 슬쩍 가리키며 말했다.

"크로포드 씨는 지금 회의 중인데, 한 시간 뒤면 끝날 거야. 크로포드 씨 방 알지? 시간 되면 거기 가서 기다려 봐."

크로포드의 방은 L2 스테이션 최외곽 층에 있었다. 인공중력을 만들기 위해 끊임없이 회전하고 있는 이곳의 여러 구역 가운데 원심력이 지구의 중력과 가장 비슷한 곳이었다. 그리고 달 뒷면의 코롤료프 크레이터[5] 정중앙에 세워진 중력파 시설이 한눈에 보이는 곳이었다.

"오랜만에 사람답게 걸어 볼 수 있겠네요."

5 달 뒷면에 있는 거대한 운석구. 화성에도 같은 이름의 운석구가 있다.

미후는 그렇게 말하며 의자를 밀고 일어났다. 약한 중력이 몸을 바닥으로 충분히 당겨 주지 못해 미후는 오리처럼 뒤뚱거릴 수밖에 없었다.

"미후 씨, 어제 아들은 만나고 왔어?"

지아의 물음에 미후는 잠시 기분이 언짢아진 듯 얼굴을 찡그렸다. 아들은 전남편과 함께 달과 지구 사이의 L1[6] 궤도에 있는 호화 콜로니에서 살았다. 언제나 지구를 볼 수 있는 L1 펜트하우스 모듈의 주민들이 달 뒷면 궤도의 양육권 잃은 이혼녀에게 보내는 동정 어린 시선은 미후에겐 역겨움 그 자체였다.

"아뇨, 일이 너무 많아서요. 그 애도 이젠 여덟 살이니 이해해 주겠죠. 간다고 해도 전남편이 노려보고 있을 거고."
"여덟 살이 뭘 알겠어. 지난달에 여기 왔을 땐 엄마한테서 떨어지려고 하지도 않더구만."

그야 여기 L2 스테이션 — 콜로니조차 아니다. — 에선 지구가 보이지도 않고, 달 뒷면은 징그러운 곰보투성이인 데다 헬륨3 채굴기가 그어 놓은 상처로 가득하니까. 무서워서 그런 거지. 상사의 비서들이란 왜 항상 무뚝뚝하거나 쓸데없이 남 일에 관심 많거나 둘 중 하나인 걸까. 미후는 그렇게 생각하며 소

6 라그랑주점. 두 천체 사이의 중력이 조화를 이루어 비교적 작은 질량체가 최소한의 에너지로 정지 상태를 유지할 수 있는 위치. 총 다섯 개(L1~L5)가 존재한다.

리 내어 한숨을 쉬었지만 지아는 계속 떠들었다.

"미후 씨가 있어서 홍보부가 돌아가고 있기는 하지만 그래도 가족이 더 중요하지. 매달 양육비도 보내고 있잖아."

"양육비 안 보내고 한동안 만나지도 말까 생각하고 있어요."

지아의 표정이 순간적으로 얼어붙는 것이 보였다. 미후는 '플루토늄 5년 재앙' 때 지아가 가족을 모두 잃었다는 사실을 떠올렸다. 조금 미안한 마음을 품으면서도, 미후는 아무렇지도 않은 듯 말을 이어 나갔다.

"그나마 L2 스테이션에서 일하고 있으니까 만날 수나 있었던 거죠. 조금만 한눈팔면 다시 L4 공장으로 튕겨 나갈 거고, 그럼 지구든 달이든 땅이란 걸 밟으러 내려갈 돈도 없어질 거예요."

미후는 천장에 달린 창을 바라봤다. 운석구로 뒤덮인 창백한 달이 천천히 모습을 드러내고는 다시 유유히 사라졌다. 달의 뒷면이 빛나는 보름달을 보는 것은 이제 미후에겐 식상한 일이 되었지만 20분마다 창밖을 가로지르는 달을 보는 순간은 잠시나마 마음의 평화를 찾을 수 있는 시간이었다.

"L1 콜로니에 있는 무중력 모듈에라도 집을 하나 구할 수 있다면, 그때나 마음 놓고 만나러 갈 수 있겠죠."

그런 날은 오지 않을 거야, 미후는 확신했다.

3.

"자네, 우리 회사에 들어온 지 얼마나 되었나?"

미후가 문을 열고 들어와 한 발짝 내딛기도 전에 크로포드가 말했다. 미후는 살며시 문을 닫고는 말했다.

"5년 반 정도 됐습니다."

크로포드의 방에는 별다른 장식 없이 업무용 책상과 접객용 소파, 그리고 커피 테이블만이 사리를 잡고 있었다. 부사장의 방이라고 하기엔 굉장히 검소한 모습이었다.

"그럼 우리 회사가 무슨 일을 하는지도 잘 알겠군. 간단히 이야기해 보게."

미후는 의아할 수밖에 없었다. 인텍은 세계에서 — 달리 말해 태양계에서 — 가장 큰 기업 중 하나였고 이미 경제적 규모 면에서는 지구에 남아 있는 국가들을 아득히 초월하고 있었다. 외계인이 아니고서는 인텍을 모를 수가 없었다. 특히 미후가 소속된 인텍 루나는 중력파 통신과 미소 공간 에너지 채굴의 가능성을 발견한 덕분에 전 세계의 주목을 받고 있었다.

"중력파를 이용한 항성 간 통신시설을 개발하고 있습니다. 제가 입사했을 때 즈음부턴 미소 공간에너지 채굴 사업을 시작했고 지금은 발전시설의 본격적인 시동을 앞두고 있지요."

만족이나 불만을 전혀 읽을 수 없는 크로포드의 표정이 미후를 불안하게 만들었다. 설명이 부족했던 걸까?

"수신된 중력파 신호의 분석도 진행하고 있고요. 신호 속 숫자들의 의미는 아직 밝혀지지 않았지만."

미후는 크로포드의 콧등을 바라봤다. 눈을 보며 대화하기 힘든 사람과 있을 때는 그 정도가 시선을 두기에 딱 좋은 높이라고 들은 적이 있었다. 크로포드가 드디어 입을 열었다.

"그런 건 사소한 일에 불과하네."

아차. 후회감이 미후의 가슴을 덮쳤다.

"우리가 하는 건 인류를 해방하는 일이야. 공허로 세워진 우주의 벽을 무너뜨리는 일이지."

크로포드는 미후에게 소파에 앉으라는 손짓을 보내면서 소파를 향해 걸어왔다. 소파에 앉은 미후는 자기 자리에서는 느낄 수 없는 인공중력의 편안한 무게감에 잠시 마음의 평화를 느꼈다. 크로포드가 맞은편 소파에 앉을 거라는 미후의 예상과 달리, 그는 미후가 앉은 소파 뒤편으로 다가왔다. 미후는 목덜미 뒤로 크로포드의 몸이 만들어 내는 바람을 느낄 수 있었다.

"자네에게 부탁하고 싶은 일이 있네. 개인적인 부탁이야."

미후는 놀랄 수밖에 없었다. 인텍의 부사장이 홍보부 말단 직원에게 개인적인 부탁을 하다니. 크로포드가 다시 입을 열기까지의 수 초 동안, 수많은 추측이 미후의 상상력을 자극했다. 가장 나중에 떠오른 건 잠자리 요청이었다. 미후는 스스로가 충분히 매력적인 여성이라 생각하고 있었고 크로포드의 시선이 자신의 연보라색 블라우스와 쇄골 사이를 몇 번 스쳐 지나갔다는 것 정도는 알고 있었다. 그렇다면 어떻게 거절해야 할까. 불안이 다시 미후를 엄습했다.

"회사 안에 배신자가 있어."

크로포드는 왼손을 미후의 어깨에 얹으며 말했다. 거친 일 한 번 하지 않은 듯한 부드러운 손길이었다.

"자네가 배신자를 잡는 걸 도와줬으면 하네."

불안이 사라지면서 새로운 불안이 만들어지는 기묘한 감정이 미후의 심장을 뛰게 했다. 크로포드의 시선이 이번엔 미후의 목을 따라 움직이다가 블라우스 옷깃을 향했다. 미후는 심장박동이 옷깃을 흔든 것은 아닐까 생각했다. 크로포드는 왼손을 미후의 어깨에서 떼고는 맞은편 소파에 가서 앉았다. 크로포드의 손이 남긴 온기는 여전히 미후의 왼쪽 어깨에서 아른거렸다. 왠지 쉽게 지워지지 않을 것 같은 온기야, 미후는 생각했다.

미후와 지아

4.

인텍 루나 내부에 배신자가 있다. 크로포드는 그렇게 말했다.

"중력파 사업은 단순한 비즈니스가 아니야. 인류의 역사를 바꾸고 태양계를 고독에서 구원할 사업이지. 중력파는 외계에 인류 문명의 존재를 알리고 항성 간 교류에 첫발을 내딛게 해 줄 도구야. 인텍의 밥줄인 에너지는 미소 공간 채굴이 시작되면 더 이상 사업의 대상이 아니라 사람들에게 주어지는 복지 혜택의 일부가 되겠지. 그런데 경쟁사들은 그렇게 생각 안 해. 그놈들은 중력파 통신 따위에는 관심도 없어. 미소 공간 에너지를 사람들에게 조금씩 뿌리면서 태양계 경제를 장악할 생각만 하고 있으니까."

이미 인텍이 헬륨3와 메탄으로 그러고 있는 거 아닌가? 미후는 생각했다. 크로포드의 모습이 유대교 지도자를 바라보는 베드로와 묘하게 겹쳐졌다.

"심지어 인텍 내부에도 적은 있어. 인텍 주피터 앤 가스는 여전히 우릴 싫어하지."

주피터 앤 가스는 목성과 토성, 그리고 그들의 위성에서 메탄을 채굴하고 있는 인텍의 자기업이다. 인텍 루나가 달의 헬륨3 채굴을 시작하고 저온핵융합에 성공하면서 메탄의 수요가 줄어들어 주피터 앤 가스는 아슬아슬하게 적자만 면하고 있기에, 두 회사는 서로 앙숙이었다.

"'그물망'이라는 이름, 들어 봤나?"
"아니요, 딱히 들어 본 적은 없습니다."
"그물망이라는 이름으로 수상한 뭔가가 진행되고 있는 것 같아. 우리 사업에 대한 위협은 예전부터 있었어. 인간이 신의 입과 힘을 가져서는 안 된다는 종교인 나부랭이들부터 이젠 있으나 마나 한 정치인들까지."

크로포드는 날카롭게 솟은 코를 가볍게 어루만졌다. 기름기로 번들번들한 콧등에 달빛이 반사되었다.

"그놈들은 입만 살아서 별거 아닌데 말이야. 겁쟁이 간부들이 설레발치면서 중력파 시설 시험 운용을 일주일 앞으로 당겼어. 내가 보기에 이건 실수야. 결국 방해자들을 극단적인 행동으로 몰고 갈 게 분명해. 말이 시험 운용이지, 사실상 미소 공간 채굴 시작이나 마찬가지니까. 지금까지 정신 나간 놈들이나 경쟁사 쪽의 테러가 없었던 건 아니지만, 이번엔 좀 달라. 그물망 놈들은 이미 우리 내부에 침투해 있는 것 같아. 어쩌면 임원 중에도 배신자가 있을지 모르지."

"… 그래서 제가 뭘 하면 되나요?"

미후가 묻자, 크로포드는 주머니에서 작은 종이 한 조각을 꺼냈다.

"이 사람들을 찾아가게. 가장 의심 가는 인물들이야. 홍보부의 취재 명목으로 접근하면 될 거야. 그들을 면밀히 살피고 수상한 게 없는지 알아봐. 자네가 눈썰미 좋다는 건 알고 있으니까. 시간은 이미 잡혀 있어."

미후는 크로포드가 건넨 종이를 받아 읽었다. 다섯 명의 이름과 인터뷰 시간이 적혀 있었다. 첫 인터뷰 시작 시간은 불과 두 시간 후였다.

5.

"지아 씨, 우리 사업에 대해 얼마나 알아요?"

모니터에 얼굴을 박은 채로 키보드를 두들기고 있던 지아에게 미후가 물었다.

"응? 우리 사업?"

"네, 중력파 통신이니 미소 공간 에너지니… 하는 것들."

"미후 씨, 벌써 5년이나 지났잖아. 아직도 몰라? 자기 홍보부잖아."

지아의 커진 눈을 보며 미후는 고개를 저었다. 알 턱이 있나. 처음 3년은 무중력 공간에서 커피나 뽑는 일을 하며 시간을 보냈고, 다음 2년은 원고 대필이나 하고 있었다.

지아는 자리에서 일어나 미후 앞으로 다가왔다. 미후와 지아의 책상 사이에는 작은 커피 테이블이 하나 있었다. 두 사람은 그 앞에 앉았다.

"중력파 자체를 발견한 건 벌써 지난 세기의 일이야. 근데 중력파는 너무 미약해서 대개는 블랙홀이 충돌한다느니 하는 엄청난 사건이 있었을 때나 겨우 볼 수 있었어. 지금처럼 행성이나 항성 규모에서 발생하는 중력파를 수신할 수 있게 된 건 최근의 일이야. 그러다가 인공적인 신호가 담긴 중력파를 수신하게 된 거고. 그때 정말 난리가 났었지. 우주인 신호를 찾기 위해 거의 200년 동안 전파망원경으로 우주를 탐색했는데, 뜬금없이 중력파 속에서 우주인 신호가 발견되었으니까."

여기까진 미후도 알고 있는 이야기였다. 지아가 설명을 이어 갔다.

"그런데 중력파 신호를 인공적으로 만들어 내는 건 쉬운 일이 아니야. 수십 년 동안 물리학자들과 엔지니어들이 뛰어들었어."

덕분에 다른 과학 분야가 성장을 멈췄었지. 미후는 생각했다.

"여기서부턴 나도 자세히 아는 건 아닌데…. 플랑크길이[7]라는 게 있는데 물리적으로 다룰 수 있는 가장 작은 크기인가 뭔가 하는 거래. 그거보다 아주 조금 큰 공간 속에 복잡하게 얽힌 새로운 차원이 있다는 거야. 그걸 미소 공간이라고 부르게 된 거고. 미후 씨, 중력이 다른 힘들보다 매우 작다는 이야기 들어 본 적 있어?"

미후는 고개를 살짝 갸우뚱하며 대답했다.

"네. 네 개의 근본적인 힘이 있는데… 중력, 전자기력, 그리고…"

"중력, 전자기력, 약한 핵력, 그리고 강한 핵력이야. 그런데 이 중에서 중력이 다른 힘들에 비해 너무 약해. 이상하리만큼. 물리학자들 설명으로는… 중력은 다른 힘들과 달리 그 미소 공간으로도 퍼져 나가기 때문에 약해진 거래. 실제로는 다른 힘들 못지않게 큰 힘이고."

7 물리적으로 측정할 수 있는 가장 작은 길이. 그 이하의 길이를 측정하지 못하는 이유는 기술적 한계 때문이 아니라 자연 자체가 가지는 성질 때문이다. 공간이 공간으로서 존재할 수 있는 최소 크기에 해당하는 단위.

"잘 이해가 안 가네요."

"굳이 이해할 필요 없어. 나도 이해하고 하는 이야기는 아니니까. 선임이 만든 홍보 자료를 그냥 외우고 있는 거야. 물리학자들 말에 의하면 그 미소 공간을 확장해서 진동시키면 중력파를 만들어 낼 수 있대. 그리고…"

지아가 말을 끊었다.

"그리고…?"

"그리고 중력파가 빠져나오면서 거기서 반물질[8]이라는 것도 같이 튀어나온대. 그것도 어마어마한 양으로."

반물질에 대해서는 미후도 들어 본 적이 있었다. 전기적 성질이나 자기적 성질 따위가 일반적인 물질과 반대인 것들. 예를 들어 전자와 전기적 성질이 반대인 양전자나, 중성자와 내부 자기적 성질이 반대인 반중성자 따위. 그리고 물질과 반물질이 만나면 서로의 모든 질량이 완벽하게 에너지로 전환된다는 것. 핵융합이 반응 전 물질의 고작 1%에 불과한 질량을 에너지로 바꿀 수 있다는 것을 생각하면 차원이 다른 규모의 자원이었다. 하지만 우주에 반물질은 극히 드물었다.

8 반입자로 구성된 물질. 반입자는 특정 물리량이 일반적인 물질을 구성하는 입자와는 정확히 반대의 값을 가지는 입자다. 물질과 반물질이 접촉하는 경우, 모든 질량이 에너지로 바뀌면서 감마선 등이 방출된다.

"처음엔 우주에 반물질이 부족한 이유를 아무도 몰랐대. 우주가 태어날 때 물질과 같은 양만큼 반물질이 만들어졌는데 지금 우리 주변엔 물질밖에 없다는 거야. 지금에 와서야 이유가 알려졌는데… 우주가 태어난 직후엔 미소 공간의 크기가 제법 컸고, 우주가 식으면서 미소 공간이 반물질을 가득 담은 채로 작아진 거래. 그래서 지금 이 순간에도 미소 공간 안에는 반물질이 우주의 물질만큼이나 많이 있다면서…"
"그래서 '채굴'이라고 부르는 거였군요."

미후의 말에 지아가 고개를 끄덕였다.

"맞아. 사실 미소 공간을 확장할 때는 반물질이 많이 필요한데, 그만큼을 만들고 또 그걸 보존할 수 있는 기술을 가진 곳이 인텍뿐이래. 홍보부에서 가장 자주 하는 이야기가 이거야. 그리고 미소 공간 채굴에 성공만 하면… 반물질은 마구 쏟아지니까…"
"중력파도 얼마든지 계속 만들 수 있겠네요. 또 그때마다 반물질이 튀어나올 거고…."
"황금알을 낳는 불사조인 셈이지."
"… 어떤 사람들이 날뛰고 반대할 만도 하네요."
"안 그래도 에너지 부족 때문에 여기저기서 문제가 일어나는데 지금 인텍은 중력파 시설에 에너지를 어마어마하게 투자하고 있기도 하니까."

"지아 씨는 어떻게 생각해요?"

미후의 물음에 지아가 대답을 잠시 망설였다. 지아는 옷소매 끝을 손가락으로 어루만지며 대답했다.

"만약 미소 공간 채굴에 성공한다면… 적어도 에너지가 부족해서 힘들어지는 사람들은 줄어들겠지. 한 가지 걱정은… 안전할까, 하는 거야."

미후는 지아의 눈빛에서 지아가 과거를 회상하고 있다는 것을 읽을 수 있었다.

"다섯 살 땐가 여섯 살 때, 가벼운 교통사고 때문에 병원에 입원한 적이 있었어. 다른 가족들은 오빠 졸업식 때문에 애리조나에 가 있었는데… 플루토늄 5년이 거기서 시작됐어."

지아의 입에서 '플루토늄 5년'이 나오자 미후는 조금 놀랐다.

전 세계 곳곳에 매장되어 있던 플루토늄이 5년 동안 산발적으로 핵분열을 일으키며 폭발해 버린 사건. 안전하다고 알려진 플루토늄과 갈륨의 합금[9]이 만들어진 지 150여 년 후 갑자기 반응을 일으키리라고는 아무도 생각지 못했었다. 남아 있는 핵 발전소와 폐기된 핵무기 속 플루토늄을 모두 우주 공간에 버리는 것으로 수습되기까지 10억 명 이상이 죽

9 플루토늄-갈륨 합금은 그 안정성 때문에 플루토늄의 관리에 사용되고 있다. 하지만 이 합금이 왜 안정적인지는 정확히 설명되지 않고 있다.

었다. 그 뒤 에너지 위기가 찾아오고 여러 국가에서 내전이 이어지면서 1억 명이 더 죽었다. 인텍이 지구 밖에서 헬륨3와 메탄을 가져오기 전까진, 아무도 인류의 밝은 미래를 그릴 수 없었다.

미후는 지아의 표정을 살폈다. 미후의 반응을 기다리는 듯한 얼굴이었다. 지아에겐 플루토늄 5년과 에너지 위기 중 어느 쪽이 더 고통스러운 기억일까?

두 사람이 잠시 침묵을 지켰다.

먼저 입을 연 건 지아였다.

"미후 씨!"

지아의 외침에 미후는 정신이 번쩍 들었다.

"미후 씨, 아까 보내 준다던 원고. 어떻게 된 거야?"

미후는 그제야 자기가 원고를 홍보부장에게 보내지 않았다는 것을 떠올렸다. 보내기는커녕 손으로 쓴 내용을 파일로 옮기지도 않았다. 그 전에, 원고를 쓴 종이는 어디로 갔을까? 미후는 옷이 식은땀에 젖어 등에 바싹 달라붙어 가는 것을 느꼈다.

"죄송합니다! 당장 보내 드릴게요!"

미후의 손과 머리가 바빠졌다. 원고를 한참 찾다가 포기하고 결국 기억력에 의존해 써 내려가기 시작했다.

무사히 작성과 전송을 마쳤지만 방송 녹화를 마

치고 돌아온 홍보부장은 미후를 붙잡고 한참이나 화풀이를 했다. 원고가 어떻게든 무사히 넘어갔음에도 그저 방송국 기자의 태도가 마음에 들지 않은 걸 자신에게 털어 내고 있다는 것 정도는 미후도 금방 읽어 낼 수 있었다.

미후는 홍보부장의 불만에 찬 목소리보다 인터뷰에 늦을 것 같다는 점이 더 걱정이었다.

6.

"홍보부장이 해고됐대."

미후가 출근해 사무실에 들어서자마자 지아가 훌쩍이며 말했다. 그러고는 인사이동에 대한 메일을 인쇄한 종이를 미후에게 건네줬다. 그 종이에는 기존의 홍보부장을 해임한다는 통보와 오늘 오후부터 새롭게 홍보부장이 될 사람의 이름이 적혀 있었다. 어제 미후에게 대본을 핑계 삼아 화풀이를 했던 홍보부장은 아직 출근도 안 한 상태였다. 미후가 미처 상황을 파악하기도 전에 지아의 책상에 있던 전화가 울렸다. 내선 전화였다. 지아는 손가락으로 눈물을 훔치고 목을 가다듬고는 전화를 받았다.

"네, 홍보부장실입니다."

지아의 시선이 미후를 향했다.

"네, 방금 출근했어요. 아뇨, 부장… 전 부장님은

아직 안 오셨어요. 네. 알겠습니다. 바꿔 드릴게요."

지아가 전화를 들고 있는 팔을 미후를 향해 내밀었다. 미후는 잠시 머뭇거리다가 호흡을 고른 다음 전화를 받았다.

"네, 홍보부 미후입니다."
「미후 씨. 전 새 홍보부장입니다. 예전 부장은 오늘 회사에 오지 않을 거고 앞으로도 올 일은 없을 겁니다. 그리고 저를 볼 일도 없을 겁니다. 지금까지 미후 씨가 하던 일은 모두 홍보부의 다른 팀에게 돌아갈 겁니다. 그러니 이제 대필 같은 일에 시간을 쓰지 마세요. 어제 크로포드 씨를 만났죠?」

네, 라고 대답하면서 미후는 요동치는 심장을 진정시키기 위해 소리 없이 천천히 호흡했다.

「그럼 미후 씨가 해야 할 일은 잘 알고 계시겠죠. 인터뷰 일정은 변동 없을 테니 걱정하지 마세요. 앞으로 한 달 동안, 미후 씨를 방해할 사람은 없을 겁니다. 크로포드 씨의 지시 사항은 지아 씨를 통해 전달해 드리죠. 지아 씨를 다시 바꿔 주세요.」
"지아 씨, 다시 받으래요."

전화를 이어 받은 지아는 안절부절못하며 네, 네를 몇 번 반복했다. 그리고 한참을 불안한 표정으로 침묵하더니 수화기를 내려놓았다. 곧이어 지아는 미후를 향해 고개를 돌리고 말했다. 말투 속에 평소와 다른 거리감이 담겨 있었다.

"미후 씨, 저는 이제 미후 씨 비서입니다. 제게 시킬 일 있으면 뭐든 말씀하세요."

지아의 달라진 말투를 듣고서야, 미후는 자기가 지금 탐정놀이를 할 상황이 아니라는 것을 깨달았다. 크로포드는 인텍에서 30년을 일한 홍보부장을 단숨에 잘라 버렸다. 상사의 비서는 이제 미후에게 공손한 말투를 쓴다. 어제부터 미후의 어깨에 올라앉아 있는 크로포드의 왼손은 상상한 것보다 훨씬 무거웠다. 왼쪽 어깨에 남은 것은 온기가 아니라 주체할 수 없는 압력이었다. 미후는 문득 크로포드가 오른손잡이라는 사실을 떠올렸다. 그가 등 뒤로 가리고 있던 오른손엔 무엇이 있었을까.

"지아 씨."

미후는 힘이 빠진 듯 천천히 의자에 앉으며 말했다. 지아가 미후와 눈을 맞추며 "네?"라고 대답하자 미후는 책상 위로 양팔을 얹고는 질문을 던졌다.

"지금 우리가 수신하고 있다는 중력파 신호. 누가 보낸 걸까요?"
"글쎄요. 지금 운용하는 수준의 수신 장비를 적어도 두 대 더 설치하지 않는 이상 어디서 보내는지는 정확히 알 수 없다고 해요."

지아의 대답을 들은 미후는 고개를 저으며 다시

말했다.

“제 말뜻은 그게 아니에요. 제가 궁금한 건 어디서 보내느냐가 아니라 누가 보내느냐예요. 그들은 정말 우리처럼 우주로 뻗어 나가려는 지성체 같은 존재일까요?”

과학자들이 말하길, 그 신호는 결코 자연적으로는 발생할 수 없는 종류의 것이라고 했다. 발생 원인이 뭔지는 아직 알 수 없다고 하지만, 지성체가 아니라면 무엇이란 말인가? 생각해 본들 답이 나올 것 같지는 않았다.

지아가 말했다.

“저도 예전에 크로포드 씨와 중력파 신호에 대한 얘기를 한 적이 있었는데, 그때 크로포드 씨는 중력파 통신을 두고 신의 귀와 입이라고 했어요. 미소 공간 에너지는 신의 힘이라고 했고.”

미후도 들은 적 있는 말이었다. 하지만 종교 단체와의 마찰을 줄이기 위해 최근에는 그런 말을 잘 쓰지 않으려고들 했다.

미후가 말했다.

“그렇다면…, 우리보다 훨씬 오래전에 신의 귀와 입, 힘을 손에 넣은 존재는 지금쯤 어디까지 진보했을까요? 왜 우주를 가로지를 수 있는 신의 힘을 가지고도 우리에게 오지 않고 신호만 보내고 있는 걸까요? 혹시 그들은 이제 단순히 지성체라고 부를 수만은 없는 존재가 되어 버린 건 아닐까요?"

쏟아지는 의문에 미후는 머릿속이 혼란스러워졌다. 그 모습을 안쓰럽게 지켜보던 지아가 말했다.

"어제 크로포드 씨가 갑자기 미후 씨를 부를 때부터 왠지 예감이 안 좋았어요. 크로포드 씨는 무슨 생각을 하고 있는 걸까요?"

내부에 배신자가 있다. 크로포드는 그렇게 생각하고 있다. 하지만 미후는 그 말을 입 밖에 내지는 않았다. 그저 창밖을 천천히 가로지르는 상처투성이 달을 바라봤다. 달이 구슬프게 우는 소리가 들리는 것만 같았다.

151개의 좌표

7.

"숫자들의 의미를 알 수 없는 건 아니에요."

유민이 숫자가 가득 적힌 종이를 내밀며 말했다. 크로포드가 건네준 리스트의 마지막 용의자. 표면적으론 일개 연구원이었지만 사실상 중력파수신해석과의 최고 책임자나 다름없었다. 과학자로만 이루어진 해석과에서 직위는 그저 서류상의 문제에 지나지 않았고 그 점이 인텍을 여기까지 이끌어 온

원동력 중 하나였다. 유민은 10여 년 전, 그저 노이즈일 뿐이라고 여겨졌던 중력파 신호 속에서 결코 자연적으로 발생할 수 없는 패턴을 발견했다. 그러고는 동적 비선형 기하학이라는, 이름만으로도 미후의 정신을 아득하게 만드는 도구를 개발해 중력파 신호 속에 숨겨진 숫자들을 읽어 냈고 단숨에 해석과의 리더로 자리를 잡았다.

크로포드의 의심은 바로 그 지점에 있었다. 모든 중력파 신호는 기본적으로 유민을 거쳐 간다. 유민이 외계에서 온 어떤 신호를 감추고 있는 게 아닐까 하는 소문이야 항상 있었지만 크로포드는 더 나아가 그가 외부 조직에 중력파 데이터와 해석 결과를 밀매하고 있다고 생각했다.

"이 숫자들은 간단히 말하자면 물리상수와 좌표예요."

"물리상수… 그리고 좌표요?"

미후는 오늘 아침 홍보용 인터뷰를 명목으로 유민과의 대화를 시작하고부터 지금까지 이해할 수 없다는 표정 하나로 일관하고 있었다. 유민은 미후의 얼굴을 거들떠보지도 않고 설명을 이어 나갔다.

"네. 신호를 보내고 있는 존재와 우리가 일단 같은 단위를 써야 무슨 말이든 할 수 있거든요. 그래서 그들은 물리량을 나타내는 신호를 반복해서 보내고 있어요. 가장 먼저 나오는 건 수소와 헬륨의 스펙트럼[10] 방출선의 파장비예요. 예를 들어, 수소의 가시광선 방출선은 네 개가 있는데 파장이 410, 434, 486, 656나노미터예요. 그럼 1:1.06:1.19:1.60이라고 보내는 거죠. 수소와 헬륨은 우주에서 가장 흔한 물질이고 원자의 스펙트럼은 가장 기본적인 물리량 중 하나니까, 과학기술을 가진 문명권에서 산다면 누구라도 알아볼 수 있어요."

과학기술을 가진 문명권 거주자에 난 포함되어 있지 않을 거야, 미후는 생각했다.

"그렇게 길이 단위를 전달하는 거죠. 사실 수소와 헬륨 모두 휘선을 여러 개 가지고 있어서 파장비로 길이를 전달하고 싶었다면 둘 중 하나만으로도 충분한데 둘 다 보낸 건 길이 단위와 더불어 시간 단위를 전달하기 위해서였어요. 휘선의 파장비를 이용한 것과 같은 방법으로 두 원자의 고유진동수의 비를 통해 그들이 어떤 시간 단위를 쓸 것인지 알려 주는 거죠. 그리고 물리량은 그게 전부였어요."

미후는 안심했다. 물리상수 이야기는 그걸로 충분했다.

10 분광(分光). 빛이 파장에 따라 분산된 상태. 대부분의 원자들은 특정 파장의 빛을 흡수 또는 방출한다. 이를 이용해 어떤 물질이 어떤 성분으로 이루어졌는지 등을 알 수 있다.

"그들이 알려 준 시간과 거리 단위를 토대로 신호의 다음 부분을 분석했더니…"

유민이 말을 줄이더니 책상 서랍에서 커다란 종이 한 장을 꺼냈다. 가운데 빨간 점이 하나 있고 주변에 검은 점들이 듬성듬성 찍혀 있었다. 그리고 빨간 점과 검은 점은 가느다란 직선으로 이어져 있었다. 검은 점과 직선 주변에 숫자가 가득 적혀 있었지만 미후는 그 의미가 결코 궁금하지 않았다.

"이건 펄사[11]들의 전파 방출 주기와 은하 중심까지의 거리를 나타낸 일종의 펄사 지도예요. 그들은 우리은하에 있는 펄사의 위치를 알려 주고 있었어요. 펄사는 각자 고유의 전파 방출 주기를 가지고 있기 때문에 그 주기와 은하 중심까지의 거리가 주어지면 그게 어느 펄사인지 알 수 있거든요. 그리고 그 펄사들이 은하계 좌표의 기준점이 되는 거예요."

미후가 머릿속에 그린 그림은 유민이 전달하고자 하는 것과는 전혀 닮지 않았지만, 미후는 그래도 대충 이해했다는 듯 가볍게 미소 지으며 고개를 끄덕였다. 유민이 펄사 지도를 보며 다음 말을 생각하려

11 중성자만으로 이루어진 매우 무거운 별로서, 수천 분의 1초에서 수 초 사이의 일정한 주기로 자전한다. 이때 자전축에서 조금 기울어진 자기축의 양 끝에서 강력한 전파를 방출하는데, 이 때문에 외부에서 보면 규칙적으로 번쩍이는 것처럼 보인다. 이런 이유로 '우주의 등대'라고 불리기도 한다.

는 듯 머뭇거리자 미후가 먼저 입을 열었다.

"그럼 신호의 그다음 부분에는 그들이 사는 별의 위치가 나오나요? 펄사 지도를 기준으로 나타낸?"

유민은 미후가 말을 마치자마자 미후의 눈을 들여다보며 크게 미소 짓고는 말했다.

"맞아요! 아니, 비슷했어요. 어떤 위치를 알려 주는 건 맞아요. 하지만 그 위치에 있는 건 그들이 사는 별이 아니었고, 심지어 신호에 담긴 좌표는 하나가 아니라 151개나 있었어요. 어쩌면 별의 위치를 가리키는 게 아닐지도 몰라요."

미후가 궁금하다는 듯 유민을 향해 몸을 기울였다. 유민은 계속해서 미후의 눈을 지긋이 바라보며 말했다.

"그들이 알려 준 위치를 샅샅이 뒤졌지만, 아무것도 없었거든요. 인텍이 보유한 모든 망원경을 동원해 모든 파장으로 살폈지만 텅 빈 공간뿐이었어요. 제 눈으로 직접 확인했어요."

유민은 오른손 검지와 중지를 벌려 자신의 양 눈을 가리켰다가 손가락을 모아 펄사 지도를 툭툭 두드렸다.

"아무것도, 없었다고요."

유민이 자신의 극적인 연출이 마음에 들었는지

잠시 침묵하는 동안, 미후는 그가 자신에게 성적인 관심이 전혀 없다는 결론을 내렸다. 서늘한 연구실의 공기를 가로질러 미후의 몸이 뿜어내는 방사열이 충분히 전달될 만큼 유민에게 접근했었지만 그는 미동도 하지 않았다. 사리사욕 때문에 회사를 팔아넘기기에는 너무 순진해 보였다. 대개 이런 사람들은 눈앞의 이익보다는 인류가 어쩌니 진리가 어쩌니 하는 말을 더 중요하게 여기기 마련이다. 아니면 게이거나.

"아무것도 없다는 건 어떤 의미죠?"

미후가 묻자 유민은 몸을 의자에 기대며 어깨에 힘을 뺐다. 그러고는 시선을 천장으로 옮기며 말했다.

"그 의미를 밝히는 건 관측천문부랑 중력파문명 연구과에서 할 일인 것 같네요. 좌표가 가리키는 위치는 틀림없이 제대로 찾았어요. 이건 장담할 수 있어요. 결국, 신호를 보내는 외계 문명에게는 그 빈 공간이 무언가를 의미한다는 거죠. 우린 그 의미를 모르는 거고."

"그렇군요. 하지만 수신된 중력파 통신 내용은 몇 개 더 있지 않나요?"

"맞아요. 더 있어요. 나머지 신호들도 인공적인 신호임은 분명하지만, 뭐랄까, 방금 얘기한 신호와는 달라요. 단말마의 비명처럼 순식간에 끊어졌어요. 말을 하고 있는 게 아니라 소리치고 있는 것처럼 보이기도 했고. 아직 두 개 정도밖에 발견된 게 없어요. 자세한 건 중력파 안테나 네트워크가 완성돼야 알 수 있겠죠."

미후는 수첩을 덮고 펜을 내려놓았다.

"오늘 인터뷰는 이 정도면 충분한 것 같아요. 응해 줘서 고마워요. 마지막 인터뷰는 다음 주가 될 것 같아요."

미후가 손을 내밀자 유민 역시 손을 내밀며 가볍게 악수를 했다. 유민은 손을 잡고 있는 상태로 미후에게 물었다.

"궁금한 게 있는데, 홍보부에선 무슨 일을 하는 거죠? 지난달에 지구로 휴가를 갔어요. 5년 만이었죠. 그래서 모처럼 하와이 구경을 했는데, 돌아다니는 동안 딱히 인텍에 대한 홍보라고 할 만한 걸 보지 못했거든요. 그래서 이번 달 인터뷰 요청을 처음 받았을 때부터 궁금했어요."

미후는 유민의 손에서 힘이 빠지지 않고 있다는 걸 의식하며 대답했다.

"말 그대로 홍보이긴 한데…. 사실 회사 내부자들을 위한 거예요. 아시다시피 인텍은 이미 지구상의 모든 국가보다 거대해요. 직원 수도 어마어마하고. 그러다 보니 직원들은 자기가 속한 부서 업무 말고는 별로 아는 게 없어요. 제가 하는 일은 그런 사람들에게 협업을 위한 동기를 부여하는 거죠. 우리가 하는 일은 이렇게 위대한 일이다, 라는 식으로. 그리고 인텍 내부 경제를 위해서 일하는 것이기도 해요. 인텍 미네랄즈, 인텍 에너지, 인텍 커뮤니케이션, 인텍 주피터 앤 가스… 모두가 인텍 안에서 경제적으로 이어져 있죠. 인텍은 이미 하나의 초국가예요. 전… 글쎄요, 말하자면 인텍의 프로파간다 담당이려나요."

미후는 그렇게 대답하면서 스스로도 어이없다는 듯 웃음을 지었다. 그러고는 불쌍한 전 홍보부장을 위해 3주 전에 썼던 대본을 문득 떠올렸다. 대본 안에 '직원 여러분' 따위의 말은 없었다. '우리'와 '인류'라는 단어가 사용되었을 뿐이었다. 인텍에게 인류란 어떤 의미일까.

미후가 생각에 빠져 있는 사이에 유민이 말했다.

"그렇군요. 그럴 만도 하죠. 이미 지구에 사는 사람들은 인텍의 우주 자원 없이는 생활이 불가능하게 됐으니 딱히 홍보의 필요성은 없겠네요. 심지어 경쟁사들도 인텍 미네랄즈에 의존하고 있으니. 인텍에겐 인텍 외부의 사람들이 사실 별 의미 없을지도 모르겠네요."

유민은 그제야 미후의 손을 놓아주고는 새하얀 팔을 우아하게 움직이며 팔짱을 꼈다. 이번엔 미후가 유민을 바라보며 물었다.

"유민 씨, 혹시 '그물망' 음모에 대해 들어 보셨나요?"
"그물망이요?"

진심으로 궁금해하는 유민의 표정을 본 미후는 괜히 물었나 하고 가벼운 후회를 느꼈다.

"네. 종교 단체 아니면 경쟁사에서 다음 주의 중력파 시설 가동을 방해하려고 한다는 소문이 돌고 있거든요. 아마 그저 소문일 뿐이겠지만."
"홍보부에 계시니 그런 소문 따위도 신경 쓰이겠네요. 많이 힘드시겠어요. 전 들어 본 적은 없어요."

미후는 가볍게 웃어 보이고는 유민의 연구실을 빠져나왔다.

8.

지아가 서류 다발을 하나 가지고 와서는 미후에게 건넸다.

"지구관측부에서 자료가 도착했어요. 인텍 광적외선(光赤外線) 망원경 35지구 오퍼레이션 로그 파일, 이라고 적혀 있네요."
"고마워요."

미후는 서류를 받아 들고는 한 장씩 훑기 시작했다.

"무슨 자료예요? 전 전혀 모르겠는데."
"하와이 마우나케아에 있는 망원경의 관측 기록

이에요."

"중요한 건가요? 그거 반입한다고 크로포드 씨 승인까지 받았던데."

미후는 서류를 덮고는 지아를 바라보며 웃었다.

"네, 중요한 자료예요."

지아는 의아한 표정을 지으며 자기 자리로 돌아갔다.

미후는 유민의 새하얀 팔을 떠올렸다. 7월의 하와이에 다녀왔다고 하기에는 탄 흔적이 전혀 없었다. 밤에 돌아다닌 걸까, 하고 생각하자마자 미후의 머릿속에 문득 떠오르는 것이 있었다. 하와이섬 힐로시에 있는 해발 4200미터의 마우나케아라는 산이었다. 그 산꼭대기에는 인텍이 소유한 오래된 관측소가 있었다. 한 세기 전까지는 세계 각국의 거대 망원경 시설이 모여 있었지만, 에너지 위기 시절에 모두 내버려지자 인텍이 지구관측부를 신설하면서 사들인 곳이었다. 그리고 하와이에서 시간을 보내면서도 살을 태울 일이 없는 곳이었다.

해석과의 일이 아니라면 관심을 두지 않을 유민이 왜 관측부 사람들이나 관심을 가질 오래된 관측소를 찾아간 걸까. 미후는 크로포드의 말대로 유민이 무언가를 감추고 있다고 확신했다.

미후가 서류 앞면에 인쇄되어 있는 바코드를 컴

퓨터에 읽히자 서류 내용이 화면에 나타났다. 미후는 이해할 수 없는 내용을 굳이 읽으려 하지 않고 곧장 유민의 이름을 검색창에 넣었다. 아무것도 나오지 않았다. 중력파, 인텍, 크로포드, 그물망. 미후는 생각나는 단어들을 이것저것 조합해서 검색해 봤지만, 역시 아무것도 나오지 않았다. 수신된 좌표의 수가 151개였다는 것을 떠올리고 151을 검색어로 입력하자 컴퓨터가 결과를 몇 개 내놓았다. 아무리 들여다봐도 의미를 알 수 없는 수열 속에 그 숫자가 우연히 들어가 있을 뿐이었다.

미후는 잠시 팔짱을 끼고 생각했다. 유민은 왜 마우나케아에 갔을까. 관측부를 거치지 않고 직접 관측하려고 한 것은 무엇일까. 유민의 일은 수신된 중력파 데이터를 해석하는 일이다. 천체관측과는 무관하다. 중력파 데이터에서 무언가 발견한 걸까. 한 달 전까지는 보지 못했던 새로운 무언가를.

미후는 팔짱을 풀고 검색창에 152를 입력했다. 컴퓨터는 다시 한번 재빠르게 결과를 하나 내놓았다.

OBJ: pul_coord0152_converted

RA: 154417.03441

DEC: +062533.2535

변환된 펄사 좌표 152번. 그 아래 숫자는 아마 천

구상의 위치일 것이다. 적어도 한 달 전, 중력파 신호에 새로운 좌표가 등장한 것이 분명하다. 그리고 유민은 그걸 감추고 있었다.

"지아 씨, 마우나케아 관측소에 대해서 뭔가 아는 것 있어요?"

미후의 물음에 지아는 고개를 빼꼼히 내밀며 대답했다.

"아니요, 미후 씨 부탁 받기 전엔 그런 곳이 있는 줄도 몰랐어요. 이번 자료 받을 때 듣기로는 지구 관측부 사람이 거긴 이제 사용하지 않는 무인 시설이라고 얘기하는 것 같았어요. 거기서 일하던 엔지니어들이 다들 퇴직해서 자료 모을 때 고생 좀 했다고 하네요."

달 궤도의 L2 포인트에 거주하는 연구원이 이제는 사용되지 않는 지구의 오래된 무인 관측소까지 가서 무언가를 보고 왔다. 미후는 의자를 밀고 일어서면서 말했다.

"지아 씨, 크로포드 씨를 연결해 주세요."

전화기를 들자 연결음이 들리더니 곧 딸깍하는 소리가 흘러나왔다.

"크로포드 씨, 의심 가는 정보 하나는 찾았어요. 하지만 한 가지 부탁이 있어요."

「지금 그 정보 가지고 나와 거래하겠다는 건가?」

내가 무슨 말을 한 거지? 미후는 스스로에게 놀랐다. 자기도 모르게 부탁이라는 말을 뱉어 버렸다. 크로포드는 얼마 전 회사를 30년 다닌 홍보부장을 단숨에 자른 사람이다. 나도 잘릴까? 미후는 어차피 잘릴 거라면 그 전에 할 수 있는 건 일단 해 보기로 마음먹었다.

"아니요, 정보는 드릴게요. 제가 아무리 감추더라도 크로포드 씨는 금방 찾아내시겠죠. 제가 뭘 하는지 감시하고 있었다는 것 정도는 알아요."

미후는 그렇게 말하면서 지아를 슬쩍 바라봤다. 지아는 컴퓨터 화면 앞에서 키보드로 무언가를 열심히 쓰고 있었다. 미후는 시선을 다시 돌리고는 말했다.

"신뢰 관계를 공고히 하기 위해서라도, 최소한의 보상은 필요하다고 생각해요."

「원하는 게 뭔가?」

"제 거주구를 L2 최외곽 층으로 옮겨 주세요. 그뿐이에요."

크로포드의 목소리가 잠시 들리지 않았다. 미후는 조금 불안해졌다. 너무 많은 걸 바란 걸까? 아니면 너무 사소했던 걸까?

「생각해 보지. 자료는 지금 당장 보내게.」

전화가 끊어졌다.

9.

크로포드는 임원 휴게실에서 창밖의 달을 바라보고 서 있었다. L2 스테이션이 인공중력을 만들기 위해 천천히 돌아가는 데 맞춰 달도 조금씩 이동했다.

“마침 L1 콜로니 지구 조망권 때문에 분쟁이 생겨서 빈 거주구가 몇 개 생겼다더군. 그중에 적당히 골라서 들어가면 될 거야.”

미후는 믿을 수가 없었다. 크로포드가 제공해 준 집은 무려 L1 콜로니의 펜트하우스 모듈이었다. 하지만 미후는 그다지 내키지 않았다. 그동안 미후를 깔봤던 사람들이 사는 곳이자 미후에게서 아들을 앗아 가고 양육비마저 착실하게 빨아먹고 있는 전남편이 사는 곳이었다. 인간 변호사 옆에 앉아서 미후의 인공지능 변호사를 비웃던 전남편의 표정이 떠올랐다. 게다가 전남편을 포함한 인텍 주피터 앤 가스의 임원들이 텃세를 부리고 있어서, 인텍 루나의 일개 직원 출신인 미후가 환영받을 리도 없었다.

“제가 부탁한 건 L2 최외곽 층이에요. L1 콜로니는 홍보부와 너무 멀고… 아니, 거기선 아예 일을 못 해요. 전 일을 하고 싶어요. 그리고 거기 펜트하우스 사람들은 쓰레…”

내가 지금 크로포드 앞에서 무슨 말을 하고 있는 건가.

미후는 정신을 가다듬었다. 일개 홍보부 직원이 부사장의 어마어마한 제안에 불평을 늘어놓다니. 미후는 크로포드의 반응을 살폈다. 내 입장을 다시 각인시키기 위해 위압적으로 나올까. 그나저나, 왜 갑자기 이렇게 대인배적인 선택지를 준 거지? 내 아들 때문인가? 그럼 아들이 거기 있는데 왜 거절하냐며 내 모성을 의심할까? 미후의 추측은 하나도 들어맞지 않았다.

크로포드는 그저 어두컴컴한 창에 비친 미후를 바라볼 뿐이었다. 미후는 침묵을 이기지 못하고 말을 이었다.

"… 아무튼 L2 최외곽 층으로도 충분합니다. 빈 거주구가 몇 개 있다는 걸 이미 알고 있어요."

"자네가 원한다면 그쪽을 알아봐 주지. 지난번에 준 정보는 나쁘지 않았어."

크로포드가 미후를 향해 돌아섰다. 웃음기 하나 없는 차가운 얼굴이었다. 커다란 창문 너머로 달이 천천히 모습을 드러냈다. 운석이 만든 둥그런 구덩이들과 헬륨3 채굴기가 만든 가지런한 직선들이 기분 나쁜 조화를 이루고 있었다. 코롤료프 크레이터 가운데에서는 중력파 시설이 새하얗게 빛났다.

"자네에게 다음 일을 주지."

미후가 살짝 벌리고 있던 입을 다물었다.

"코롤료프로 가게. 이유는 내가 만들어 둘 테니까. 지금 당장 준비해."
"달에 내려가란 말씀이신가요?"

크로포드는 대답하지 않았다. 뒷짐을 진 크로포드의 손에서 작은 열쇠 하나가 반짝거렸다.

코롤료프 크레이터

10.

정기선 선착장 모듈은 미후와 지아의 사무실보다도 넓었다. 새하얀 벽 곳곳에서는 정기선의 운행 시간과 현재 위치가 번쩍거렸다. 선착장은 L2 스테이션의 중앙에 있어 인공중력이 없었기에, 미후와 지아는 무기력하게 대기실 내부를 떠다녔다. 미후는 두 사람 말고는 아무도 없는 게 다행이라고 생각했다.

"크로포드 씨도 너무하지, 어떻게 이틀 만에 달에 내려갈 준비를 해요?"

지아가 급조된 경량 우주복을 바라보며 투덜거렸다. 접은 상태일 때는 손바닥만 한 크기였지만 사용하기 위해 스위치를 누르면 금세 풍선처럼 커지기 때문에, 지아는 스위치 위치를 확인하며 조심스럽게 바지에 고정했다. 어차피 입을 일은 없겠지만, 만약을 위해 규정상 반드시 가져가야 했다.

"저 때문에 미안하게 됐네요."

미후가 자기 머리만 한 동그란 창으로 밖을 바라보며 말했다. 그 시선의 끝에서는 달궤도 정기선이 천천히 다가오고 있었다. 속도를 보아하니 도킹까지는 10분은 족히 걸릴 것 같았다.

미후는 자기 눈앞에 있는 해치의 손잡이를 바라봤다. 광활한 죽음의 공간과 이 좁은 방을 가르는 건 얇은 철판 한 장뿐이다. 그 철판마저도 저 해치 손잡이를 두 바퀴 반 돌리면 사라진다. 해치 손잡이를 잡고 돌리는 상상을 하자 미후의 팔에 힘이 들어갔다.

지금 두 사람이 있는 모듈의 공기가 모두 빠져나간다면 경량 우주복을 서둘러 챙겨 입는다는 전제하에 10분 정도는 버틸 수 있을 것이다. 그때까지 정기선이 도착해 우릴 구해 줄 수 있을까? 미후는 일어나지 않을 일에 대한 여러 가지 시나리오를 생각했다.

"그나저나 크로포드 씨는 진심일까요? 진짜 우리한테 이런 일을 맡긴 거예요?"

지아의 목소리에는 조마조마함이 묻어났다. 미후는 그럴 만도 하다고 생각했다.

"아무래도… 우리의 이해를 아득히 넘어선 일이 일어나고 있는 거 같아요. 우린 그냥 장기말에 불과하고."

"그래도 그렇지, 어떻게 중력파 시설을… 회사가 가장 집중하고 있는 시설을…"

… 강제로 멈춘다.

미후는 크로포드가 넘겨준 열쇠를 떠올렸다. 겉으로 보면 자그마한 쇠막대기지만, 내부에 자기 코드와 IC 칩이 내장되어 있었다. 제작 후에 설계 정보를 폐기해 버렸기 때문에 이제 재생산도 복제도 불가능한 열쇠였다. 크로포드가 가지고 있는 것과 지금 미후가 가지고 있는 것, 이 두 개의 열쇠를 L2 스테이션 관제실과 중력파 시설 관제실의 컴퓨터에 꽂아서 동시에 돌리면 강제로 중력파 시설의 가동을 멈출 수 있다. 미후는 이 지점에서 작은 위안을 얻었다. 부사장이 함께하는 일이라면, 혹여나 안 좋은 일이 생겨도 쉽게 책임을 추궁당하진 않을 것이기 때문이었다.

"우리가 제때 멈추지 못하면 어떻게 되는 거죠?"

지아가 물었다.

"크로포드 씨 말로는… 우리가 멈추지 않으면 그물망 녀석들이 멈추게 될 거고, 그들의 방법은 결코 얌전하지 않을 거라고 했어요."
"왜 그물망을 먼저 잡으려고 하지 않고…"

미후는 지아의 목소리에서 짙은 답답함을 읽을 수 있었다. 지아도 일이 이렇게 커질 줄은 몰랐던 걸까? 미후는 담담하게 크로포드에게 들은 이야기를 늘어놓았다.

"놈들이 회사 내부에 이미 걷잡을 수 없을 만큼 퍼졌나 봐요. 크로포드 씨는 본격적인 가동 전에 놈들을 모조리 잡아내야 한다고 생각해요. 시설이 가동하기 시작하면 놈들도 슬슬 모습을 드러낼 텐데, 그때 이쪽에서 먼저 시설을 멈추는 거로 허를 찌르겠다는 계획 같아요."

정기선이 해치가 앞을 향하도록 회전하며 도킹을 준비했다.

지아가 여전히 불안한 목소리로 말했다.

"그런데… 괜찮을까요? 목성계나 토성계에서 가져오는 메탄도 수지 타산이 안 맞고 헬륨3도 곧 부족해질 상황인데, 이걸 다 해결해 줄 미소 공간 에너지 시설을 비상정지한다니. 반물질을 다시 모으는 데에는 시간이 오래 걸리잖아요? '플루토늄 5년' 이후로 제일 시급한 문제가 된 건 에너지 문제일 텐데…"

"에너지가 지금도 부족하기는 하지만… 인텍 입장에선 방해꾼들을 잡는 게 먼저겠죠."

"크로포드 씨는 이 일을 혼자 진행하고 있는 걸까요?"

"우리 같은 사람이 몇 명 더 있는 거 같기는 한데… 회사 간부는 믿을 수 없다고 생각하나 봐요.

차라리 우리 같은 일개 직원에게 눈이 휘둥그레지는 보답을 주고 장기말처럼 움직이는 게 편하겠죠. 아마 크로포드 씨가 우리에게 말해 주지 않은 위험이 있을 거예요. 우리가 알면, 결코 발을 들이지 않을 것들이."

평소엔 자기가 지아에게 이것저것 물었었는데. 지금은 오히려 지아가 자신에게 의지하고 있는 듯한 느낌에 미후는 지아의 속마음이 궁금해졌다. 지아는 어떤 사례를 제안받았을까? 역시 L1 콜로니 펜트하우스일까? 아니면 그냥 돈일까?

정기선이 도킹을 마무리하면서 묵직한 기계음이 울려 퍼졌다. 곧이어 기압을 맞추는 소리가 흘러나왔고 해치를 열어도 된다는 의미의 녹색 불이 켜졌다.

그나저나, 크로포드는 우릴 어떻게 믿는 걸까? 미후는 그렇게 생각하며 해치의 손잡이를 돌렸다.

11.

코롤료프 선착지에서 미후와 지아를 맞이한 사람은 중력파 시설 부장 미셸이었다. 미후와 지아가 달 중력에 적응하지 못해 뒤뚱거리며 걷는 동안, 미셸은 마치 지구 위를 걷는 것처럼 힘차고 우아하게 움직였다. 미후는 미셸의 신발 아래에 자석이 감춰져 있는 건 아닐까 의심했다.

"2세대 루나리안이래요."

지아가 미후에게 속삭였다.

달에서 태어난 사람들이 달에서 낳은 아이들. 1세대 루나리안들은 달중력에 적응해 월등히 큰 키를 가졌던 반면, 그만큼 뼈와 근육이 약했다. 하지만 그중에서도 강한 신체를 가진 이들은 있었고, 그들 사이에서 태어난 자녀들이 2세대 루나리안이었다.

2세대들은 1세대만큼 큰 키를 가지고 있었다. 게다가 달에서 특별한 체력 관리까지 받았기에, 신체적인 면에서는 대부분 지구 출신 사람들을 월등히 뛰어넘었다.

그런 이유로 루나리안들은 자기들끼리 결혼하는 경우가 많았는데, 인텍 사장의 동성 배우자가 루나리안이라는 것이 유명한 예외였다. 덕분에 루나리안들의 입지는 달을 사실상 독점한 인텍 루나 내부에서 크게 뛰어올랐다.

미후는 루나리안들이 마치 인간 2.0 같다고 생각했다.

"좋은 의견이에요. 이제 곧 인류의 새로운 경지가 펼쳐질 테니까. 미래의 역사가들을 위해서라도 비전문가의 시선을 남겨 두는 게 좋겠죠."

미셸은 미후와 지아를 비전문가라고 불렀다. 미

셸의 목소리는 부드럽고 점잖았지만, 언제나 위에서 아래를 내려다보는 시선이 묻어났다.

처음 홍보부에서 왔다고 했을 때, 미셸은 중력파 시설에서 이루어지는 활동은 로그에 남겨지고 있기 때문에 불필요한 미사여구로 채워진 신문 기사 따위는 필요 없다고 했다. 하지만 결국 미래에 역사를 연구할 사람들은 신문 기사 따위나 뒤지는 사람들이라고 하자 마음을 바꿨다.

언제나 미래를 보고 있는 사람이야, 미후는 미셸을 그렇게 평가했다.

"크로포드 양반이 당신들을 직접 보냈다니, 어지간히 뜨고 싶었군요. 하기야 그 양반, 사내 정치만 하다 보니 정작 중요한 중력파 사업에선 좋은 자리를 놓쳤으니까. 홍보물에 자기 이름 몇 번 박아 넣으면 나중에 이름 좀 남길 수 있을 거라 생각하나 보죠. 크로포드가 당신들 때문에 보안 규정까지 어겼다는 거나 알아 둬요. 자기가 책임지겠다나 뭐라나."

선착장에서 관제실까지는 제법 멀었다. 지하에 건설된 모노레일을 타고도 한 시간을 이동해야 했다. 미셸은 중력파 시설의 구조를 정글의 개미집에 비유해 설명하며, 사람이 들어가는 시설 중 관제실만이 달 표면에 드러나 있고 나머지는 모두 지하에 있다고 했다. 헬륨3 채굴에 방해가 되지 않도록 그렇게 만들어진 것인데, 미셸은 구세대 에너지원 따위에 밀려 정작 중요한 시설이 불편하게 만들어졌다며 불평했다. 사장이 루나리안과 결혼한 덕분에 관제실이나마 지상에 만들 수 있었다고도 했다.

모노레일에서 내리자마자 눈앞에 드러난 관제실은 생각보다 작았고, 시커먼 헬멧으로 얼굴을 가린 오퍼레이터 세 명이 벽을 바라보고 앉아 있었다. 입구가 있는 쪽을 제외한 세 벽면은 모두 숫자와 그래프, 시설 내부를 비추는 영상으로 가득했다.

"매우 복잡한 시설이라, 시설의 각 모듈에 오퍼레이터 300명이 분산되어 있어요. 여기 있는 건 키퍼슨들(key persons)뿐이죠. 벽 하나에 한 명씩."

미셸이 미후와 지아를 돌아보며 말했다.

"전부 유기적으로 연결된 화면들이지만, 당신들을 위해 간단히 설명하죠. 왼쪽 벽은 입자가속기의 상태, 가운데 벽은 중력파 신호 관리, 오른쪽 벽은 알쿠비에레[12]-카시미르[13] 엔진 상태를 나타내요."

"알쿠… 무슨 엔진이요?"

미후가 물었다.

12 미겔 알쿠비에레. 멕시코의 물리학자. 1994년, 영화에 등장하는 워프 드라이브가 이론적으로 가능하다는 것을 증명했다.
13 헨드릭 카시미르. 네덜란드의 물리학자. 진공 속에 숨겨진 힘을 측정할 수 있는 카시미르 실험을 제안했다.

"알쿠비에레-카시미르 엔진. AC 엔진이라고도 불러요. 알기 쉽게 말하면 워프 드라이브 엔진이에요. 초광속 이동을 위한 거죠."

미후가 입을 벌린 채 아무 말도 하지 못하자 미셸이 살짝 비웃으며 말을 이었다.

"가동이 시작되면 어차피 알게 될 테니 미리 알려 드리죠. 미소 공간에서 나오는 건 중력파와 반물질뿐만이 아니에요. 소위 말하는 '음의 에너지'를 가진 특이 물질(exotic matter)이 나와요. 정확히 말하면 미소 공간에서의 카시미르 효과[14]를 이용해 끌어내는 거죠. 그리고 특이 물질만 있다면 우리 의도대로 공간을 뒤틀 수가 있어요. 그렇게 앞쪽 공간을 수축시키고 뒤쪽 공간을 늘리면 상대성이론 따위를 어기지 않고도 빛의 속도를 넘어서 이동할 수 있게 돼요. 오래전 영화에 나왔던 '워프'가 실현되는 거죠. 알쿠비에레는 지난 세기에 이걸 이론적으로 완성한 사람이에요."

미후의 머리가 아득해지기 시작했다.

"음의… 에너지라는 게…"
"반물질로 된 우주에선 시간이 거꾸로 흐를 수도 있다는 이야기 들어 본 적 있나요?"

14 진공 속에서 두 금속판을 아주 가까이 접근시키면 두 판 사이에 서로 끌어당기는 힘이 발생하는 현상.

들은 적이 있을 리가 없다. 미후는 고개를 저었다.

"그럼 그런 게 있다고만 하고 넘어가죠. 인텍은 원래 중력파 시설과 AC 엔진을 우주선 규모로 소형화해서 성간 탐사를 시작할 예정이었어요. 그런데 결국 충분히 소형화할 수 없다는 걸 깨달았죠. 우주선을 무작정 크게 만들 수도 없는 노릇이라 시설을 모두 수용할 수 있는 크기의 천체에 직접 시설을 건설하고 우주선처럼 이용하기로 했어요."

"설마 달을 우주선으로 만들겠다는 건가요?"

미후는 자기 눈이 얼마나 휘둥그레졌는지 알지도 못하고 인상을 찌푸렸다.

"물론 아니죠. 시설을 조금 더 소형화해서 세레스[15]에 건설할 예정이에요. 우주선 세레스가 되는 거죠. 대신 여기선 AC 엔진으로 달의 공전속도를 조절하는 실험만 하고 있어요."

"벌써 하고 있다고요?"

"1년 전에 AC 엔진으로 달의 공전속도를 시속 10센티미터 정도 가속하고 다시 늦추는 데 성공했어요. 항성 간 공간 진출을 위한 시카고 파일이죠."

1942년, 시카고에서 처음 만들어진 핵분열 원자로 — 시카고 파일(Chicago pile) — 에서 만들어 낸 전력은 고작 0.5와트로, 전구 하나를 밝히기에도 부

15 소행성대의 천체 중 하나. 지름이 950킬로미터 정도로 달의 1/4 크기이다.

족했다. 하지만 1년이 지나기도 전에 도시 하나를 밝힐 전력을 생산했고, 3년 뒤엔 원자폭탄이 히로시마와 나가사키에 떨어졌다. 플루토늄 5년을 겪은 이후로는 누구나 알고 있는 원자력 기술의 역사였다.

미후는 시카고 파일이라는 이름에 불안감을 느꼈다. 이 계획의 진행을 정말 멈춰야 하는 걸지도 모른다고 생각했다.

"… 그렇게까지 해야 하나요? 소행성 하나를 우주선으로 만들어 가면서까지? 달을 일부러 움직여 가면서까지 태양계 밖으로 나가야 하나요?"

미후의 물음에 미셸은 마치 하찮은 얘기를 들었다는 듯 한숨을 조그맣게 내쉬며 대답했다.

"미소 공간 에너지 채굴에 성공하면 태양계 내부에서 에너지 사업을 하는 건 더 이상 불가능해져요. 크로포드 양반의 말을 빌린다면, 그때부터 에너지는 복지 혜택에 불과해지죠. 그렇다고 잠자코 있으면 누군가가 먼저 미소 공간 에너지 사업을 시작할 거예요. 선수를 뺏길 바에야 우리가 먼저 시작해서 넘치는 에너지를 활용할 방법을 찾아야죠."

미셸은 관제실의 책꽂이에서 두꺼운 책을 하나 꺼내 와서 보여 줬다. 책 표지에는 '인텍 인터스텔라'라고 적혀 있었다.

"태양계 주민들만을 대상으로 사업을 하기에 미소 공간 에너지는 너무 거대해요. 그 에너지를 기반으로 태양계 밖으로 진출해 외계 자원 사업을 할 겁니다. 거기에 문명이 있다면, 에너지와 기술을 팔고 현지 고객이나 노동력을 얻을 수도 있겠죠."

미후는 현기증 때문에 몸이 비틀거릴 것만 같았다. 도대체 이 루나리안은 어디까지 바라보고 있는 걸까? 인텍이라는 회사는 이제 인류에겐 관심도 없는 걸까? 미후는 외계의 원시 문명지에 인간이 만든 우주선이 착륙하는 장면을 상상했다. 어떤 일이 벌어질까?

미셸이 말을 이었다.

"문명의 충돌로 인한 비극이 어쩌고 하는 이야기는 접어 둬요. 우리가 그렇게 진보해 왔다는 걸 부정할 수는 없으니까. 살아남기 위해선 강한 문명의 입지를 지켜야 해요. 다른 곳에서 경쟁자가 생기기 전에 손을 봐야 해요. 넋 놓고 있다가는 문어처럼 생긴 외계인이 우릴 먼저 침략할지도 모를 일이죠. 중력파를 다루는 문명이 이미 적어도 하나는 있어요. 우리가 받고 있는 신호를 보낸 바로 그들이죠. 그들이 우릴 침략하지 않을 거라는 보장이 어디 있어요?"

미후는 지아를 바라봤다. 지아는 굳은 얼굴로 관제실을 살피고 있었다. 아마 시설 비상정지를 위한 열쇠 구멍을 찾고 있으리라.

"아무리 태양계를 벗어나도… 아무리 빛의 속도 이상으로 달려도, 외계 행성까지 가려면 오랜 시간이 걸리지 않나요? 항성 간 공간이 만만한 공간도 아니고."

미후는 최대한 상상력을 발휘하여 우주여행의 어려움을 그려 봤다. 자원 부족, 방사선, 충돌, 우주선 고장, 정신 붕괴, 내란….

"인텍이 왜 루나리안의 혈통을 관리하고 있다고 생각해요? 항성 간 이동을 견딜 수 있는 유전자들을 키워 내기 위해서예요."

"그렇다면…"

"항성 간 우주선에 당신 같은 평범한 인간이 탈 자리는 없어요. 몸이 망가지든 정신이 망가지든, 결국 버틸 수가 없을 테니까. 아마 4세대나 5세대 루나리안들이 외계 행성 개척자들이 되겠죠."

이렇게 종분화가 일어나는 건가? 미후는 자기가 너무 앞선 생각을 하는 게 아니라고 믿었다. 이미 유로파[16]나 타이탄[17] 개척 시설에서 태어나고 자란 아이들이 있었으니까. 다른 점이라면, 유로판이나 타이타니즈는 지구인들에게 차별을 당하지만, 루나리안은 도리어 지구인을 차별하려고 든다는 것이었다.

16 목성의 위성 중 하나.
17 토성의 위성 중 하나.

조용히 방을 둘러보던 지아가 미후의 옷소매를 살며시 당겼다. 그리고 미후의 손등에 자기 손가락으로 화살표를 하나 그렸다. 미셸이 '인텍 인터스텔라'의 사업계획서를 원래 위치에 돌려놓는 사이, 미후는 화살표가 향했던 곳을 살폈다.

가운데 벽과 오른쪽 벽 사이에 빨갛고 투명한 커버가 덮인 열쇠 구멍이 하나 있었다. 구멍의 모양과 크기를 보아하니 크로포드가 준 열쇠를 꽂을 위치인 것이 분명했다. 하지만 열쇠 구멍을 덮은 커버 아래에는 숫자 키패드가 달려 있었다. 그럼 그렇지. 그 중요한 시설을 멈추는 일인데 열쇠를 박아 넣는 것만으로 끝날 리가 없었다. 크로포드는 도대체 무슨 생각으로 열쇠만 넘겨준 걸까?

미셸이 다시 두 사람 앞으로 왔다. 그리고 가까이 있던 오퍼레이터에게 말했다.

"가운데 화면에 시설 전경을 비춰 봐요."

오퍼레이터가 손가락을 몇 번 움직이자 가운데 벽의 화면이 둘로 나뉘었다. 왼쪽에는 중력파 시설을 월면에서 바라본 모습이, 오른쪽에는 상공에서 바라본 모습이 비쳤다.

중력파 시설은 미후의 생각보다 거대했다. 달에서는 지평선이 지구에서보다 더 가깝기 때문에 사물이 더 크게 보인다는 걸 알고는 있었지만, 그런 착

시로 설명할 수 있는 수준이 아니었다.

시설 중앙에는 지하 30킬로미터 깊이까지 이어지는 터널이 시커먼 입을 벌리고 있었다. 화면엔 보이지 않았지만, 터널 아래에는 반경 1700킬로미터의 원형 입자가속기 세 개가 달의 중심을 감싸며 60도 각도로 교차된 채 묻혀 있었다. 태양계에서 가장 거대한 가속기였다.

"가속기 하나는 미소 공간을 안정화하기 위한 거고, 다른 하나는 반물질을 보존하기 위한 페닝 트랩[18]이에요. 마지막 하나는 AC 엔진의 일부로, 조금 전에 말한 특이 물질을 다루는 시설이죠."

터널 입구 바로 위에는 3킬로미터 높이의 거대한 탑이 솟아올라 있었다.

"저 기둥의 역할은 뭐죠?"

미후가 물었다. 미셸은 웃으며 대답했다.

"셀레네[19]를 겁탈하는 겁니다."

미후는 불쾌한 표정을 감추지 않고 미셸을 노려봤다.

18 전자의 반입자인 양전자를 보존할 수 있는 장비. 반물질을 보관하는 장비에 대한 일반적인 명칭으로 사용되기도 한다.
19 그리스 신화 속 달의 여신.

12.

중력파 시설의 시험 가동일이 다가오자, 미셸은 미후와 지아를 다시 관제실로 이끌었다. 두 사람이 그동안 시설 여기저기를 돌아다니며 기자 흉내를 내기는 했지만, 그저 명목상의 업무를 수행하는 것에 불과했다.

미후와 지아가 노리고 있는 관제실 구석의 열쇠 구멍은 여전히 빨간 덮개로 보호되고 있었다.

"저기 솟아오른 피스톤 타워는 선형가속기의 일종이에요. 지하 가속기에서 전자를 광속의 99.9995%까지 가속시키면, 거기에 역시 가속된 양전자를 수직으로 쏘는 거죠."

지난번과 달리 미셸의 이번 설명은 평범했다. 하지만 그날 이후로 미후의 눈에는 피스톤 타워와 그 아래의 터널이 거대한 생식기 한 쌍처럼 보였다.

"저 피스톤 타워 안에는 지금까지 인류가 만들어 낸 것보다 수십 배 많은 양전자, 그러니까 전자의 반입자가 채워지고 있어요. 다른 회사가 우릴 따라올 수 없는 이유가 여기에 있죠. 우린 양전자를 포함한 대량의 반물질을 만들고 상당 시간 보존할 수 있거든요. 그걸 수직으로 쏴서 전자를 때리는 것도 우리 회사의 기술이고."

왜 수직으로 쏘는지, 반물질을 만들고 보존하는 게 왜 그렇게 대단한 일인지, 미후는 묻고 싶었지만 참았다. 지금은 그게 중요한 게 아니니까. 열쇠 구멍의 빨간 덮개는 어떻게 열어야 할까?

"미소 공간에서 방출하는 양전자의 양이 일정 수준 이상이 되면, 미소 공간이 불안정해지면서 특이점이 생겨요. 거기에 쏟아 넣는 반물질의 양을 적절히 조절하면 미소 공간에서 우리가 원하는 중력파 신호가 만들어지죠. 그리고 그와 동시에 미소 공간 속에 숨어 있던 반물질들도 쏟아져 나와요. 방출된 반물질들은 페닝 트랩으로 모이고, AC 엔진의 가속기는 특이 물질을 축적하면서 음의 에너지를 흡수해요. 계산에 따르면 10분만 작동시켜도 달을 이끌고 태양계를 벗어날 만큼의 에너지원을 얻을 수 있어요."

미셸이 눈짓으로 지시하자 화면 위에 전체 시설의 개략도가 나타났다. 화살표 몇 개가 그 위를 움직이면서 시설이 어떻게 돌아가는지를 보여 줬다.

"그렇게 한 번 하고 나면 특이점은 며칠 동안 유지될 거라고 예상하고 있어요. 특이점이 사라지고 나서는 같은 일을 반복하는 거죠. 한 번이라도 성공하면, 반물질과 에너지 모두 넘쳐 나니까 얼마든지 반복이 가능하죠."

"혹시나 예상과 다른 일이 일어나거나… 사고가

생기면 어떻게 하죠? 그렇게 큰 에너지를 다루는 일인데….”

미후가 물었다.

“이 시설은 십수 년 동안 수천 명의 과학자와 엔지니어들이 뛰어들어 설계하고 만든 겁니다. 생각할 수 있는 모든 경우의 수가 반영되어 있어요. 분명한 근거 없이 사고를 말하는 건 실례죠.”

미셸의 말은 매우 정중했다. 하지만 그 말을 들은 지아가 미간을 찌푸리는 것을 미후는 놓치지 않았다. 비서들이란 언제나 예상 외의 상황을 고려하는 습관이 있기 때문일까, 미후는 생각했다.

미셸이 말을 이어 나갔다.

“굳이 멈춰야 한다면 지금이 기회죠. 가속기가 움직이기 시작하면 멈출 수 없으니까요. 정말 심각한 상황이 발생하면 피스톤 타워를 쓰러뜨려서 특이점을 만들지 못하도록 해야 하는데… 그랬다간 타워 내부에 있는 반물질이 주변 물질과 반응하면서 이 근방의 반경 수백 킬로미터는 완전히 증발해 버릴 겁니다. 유일하게 준비된 비상정지 기능이 바로 피스톤 타워를 지지하는 기둥을 폭파하는 거예요. 현장에 있는 우리가 불타는 대신, 달의 다른 부분들을 지키는 거죠.”

미셸이 미후의 눈을 바라봤다. 그리고 다시 입을

열었다.

“당신이라면 어떻게 하겠어요? 사고의 가능성이 조금이라도 있다면, 자폭할 수 있나요? 사고 발생이 얼마나 확실해질 때 자폭 스위치를 누르겠어요?”

미후는 대답을 할 수 없었다. 그저 생각했다. 크로포드 개새끼.

“이제 곧 가동을 시작합니다.”

미셸이 말했다. 오퍼레이터들의 손발이 금세 분주해졌다. 가운데 벽의 중앙에 시간을 거꾸로 세는 시계가 표시되었다. 30으로 시작된 숫자는 1초마다 줄어들었다. 미셸이 다시 입을 열었다.

“앞으로 25초 뒤면 가속기가 작동해서 피스톤 타워에 반물질을 쌓기 시작할 겁니다. 그로부터 30분쯤 지나면… 판도라의 상자가 열리고, 우린 신의 힘을 손에 넣게 되겠죠.”

루나리안이란 놈들의 묘사는 왜 항상 이따위일까. 미후는 판도라의 상자 비유가 도무지 마음에 들지 않았다.

13.

화장실에 있는 작은 상황판이 피스톤 타워에 반물질이 얼마나 채워졌는지를 그림으로 나타냈다.

미후는 생각보다 빠른 속도로 반물질이 채워지고 있다는 것에 잠시 주목했지만, 다시 크로포드와의 전화 통화로 관심을 옮겼다.

「… 거짓말이야. 비상정지는 그런 식으로 진행되는 게 아니니까.」

전화기에서 나오는 크로포드의 목소리가 좁은 화장실 속에 울려 퍼졌다.

「실제로 그렇게 된다면 대체 누가 현장에서 비상정지를 하겠나? 그 루나리안 놈이 자네를 떠본 거야. 거만한 새끼들.」

“그래도 좀 불안하네요. 전 그냥 일개 홍보부 직원이었는데, 지금은 무슨 스파이도 아니고…”

미후는 말을 잇지 못했다. ‘업무 외’ 임무에 대한 흥분이 가라앉기 시작하자 이제야 조금씩 현실이 보이기 시작했고, 그 현실은 미후를 이미 압도하고 있었다.

몇 초가 지난 후, 크로포드가 말했다.

「… 일개 직원이었기 때문에 자네가 필요했던 거야.」

미후의 자존심에 살짝 금이 갔다.

「영향력 있는 사람이라면 루나리안 놈들이 오히려 자넬 경계했을 거야. 그렇게 자네를 가지고 노는 듯한 태도 자체가 좋은 신호야.」

"크로포드 씨, 그런데 지금 어디 있는 거죠?"

다시 몇 초 후.

「자넨 거기 일에나 신경 쓰도록.」

"대답이 돌아오는 데 7초 이상이 걸려요. 혹시 지구에 있는 건가요?"

7초가 지났지만 대답이 돌아오지 않았다.

"지구에 있다면… L2 관제실에서 비상정지 열쇠를 어떻게 돌리려는 거죠?"

7초 후.

「충분히 준비를 해 놓았으니까 걱정할 필요는 없네.」

"그리고… 관제실엔 오퍼레이터들도 있고, 게다가 비밀번호가 걸린 열쇠 덮개까지 있는데, 여기서 어떻게 열쇠를 꽂고 돌리라는 거죠? 불가능해요."

10초 후.

「그 부분은 지아가 알아서 할 거야.」

지아가? 지아에게 나도 모르는 일을 준 건가? 지아는 내게 그걸 말하지도 않았고? 미후의 마음속에 지아에 대한 배신감이 슬며시 싹텄다. 크로포드야 원래 개새끼였고. 혹시 크로포드의 진짜 장기말은 지아였던 걸까?

미후는 불안감을 떨치기 위해, 앞으로 일어날 것이라 예상할 수 있는 일 하나를 떠올려 봤다. 그물망이 움직인다. 근데 진짜 움직일까?

"그런데 그… 그물망이라는 것들이 아무런 움직임도 보이지 않으면 어쩌죠? 그래도 비상정지를 해야 하나요?"

7초 후.

「내가 그들을 포착할 거야. 자넨 무조건 정지만 시키면 돼.」
"정말 그물망이란 게 있기는 한 건가요…?"

12초 후.

「이제 그만 가 봐야겠네.」

전화는 끊어졌고, 화장실을 나오는 미후의 얼굴은 변기 물을 마신 듯한 표정을 짓고 있었다. 하지만 그 표정은 곧 당혹감에 쓸려 내려갔다.

관제실 구석, 열쇠 구멍이 있는 곳 앞에서 지아가 권총으로 미셸을 위협하고 있었고, 오퍼레이터 두 명은 양손이 결박된 채 바닥에 앉아 있었다.

미후는 헬멧을 벗고 키보드를 두드리고 있는 나머지 한 명의 오퍼레이터를 알아볼 수 있었다.

그는 중력파수신해석과의 유민이었다.

14.

유민이 컴퓨터에서 물러나며 오른팔을 들어 올리고 엄지손가락을 치켜세웠다. 지아는 유민의 손가락을 확인하고는 총구로 미셸의 등을 밀며 말했다.

"관제실로 향하는 모든 통로와 모듈을 폐쇄했어요. 적어도 30분 동안 당신을 구해 줄 사람은 없어요."

미셸 역시 유민의 행동을 슬쩍 보고는 말했다.

"유민 씨, 실망이야. 당신 재능을 보고 키 퍼슨으로 고른 건 나였는데…."

"쓸데없는 소리 하지 말고, 열쇠 덮개나 열어. 계속 버티면 발목부터 관절을 하나씩 쏴 버릴 거야."

완전히 달라진 지아의 말투는 상황을 파악하지 못하고 있는 미후를 더욱 혼란스럽게 했다. 왜 유민이 여기에 있는지, 소심한 비서였던 지아는 어쩌다 총으로 미셸을 위협하고 있는지, 미후는 상황을 이해하기 위해 안간힘을 썼다.

미셸이 말했다.

"여기 벽은 얇아. 허투루 총을 쏴서 벽에 구멍이라도 뚫리면 다 죽을 거야."

지아는 표정 하나 바꾸지 않으며 말했다.

"… 이러나 저러나 죽는 건 마찬가지야."

미셸은 한심하다는 듯이 고개를 저으며 한숨을 내쉬었다. 그리고 말했다.

"이걸 지금 정지하면 우리도 날아가고 시설도 날아가. 어차피 다시 건설되겠지만, 폐허 속에서 이 시설을 다시 만들고 충분한 반물질을 누적하는 데는 몇 년이 걸릴지 모르고. 그동안 에너지 부족 때문에 많은 사람이 고통스러워질 텐데…"

"나도 알아. 하지만 이걸 그대로 두면 더 위험해질 거야."

더는 이 상황을 견디지 못하게 된 미후가 물었다.

"지아 씨, 지금 무슨 말 하는 거예요?"

미셸이 지아를 대신해 대답했다.

"이 사람들이 그물망이라는 거야. 설마 크로포드와 손을 잡을 줄은 몰랐는데. 꼴을 보니 당신은 몰랐나 보네. 사람을 이용할 줄 아는 게 크로포드답군."

지아가 총구 위치를 고정한 채 고개를 살짝 돌리고 말했다.

"유민 씨, 미후 씨에게서 열쇠를 받아 와요. 미후 씨, 미안해요. 원래 당신을 여기서 내보낸 뒤에 움직일 예정이었는데… 피스톤 타워에 반물질이 차오르는 속도가 예상보다 빨랐어요."

지아의 말에 유민이 미후를 향해 다가왔다. 미후는

유민을 향해 경계가 가득한 시선을 보내며 말했다.

"지금 이 상황을 이해하기 전까지는 열쇠를 주지 않을 거예요."
"미소 공간 에너지는 우리가 사용해서는 안 되는 거였어요."

유민이 천천히 한 발짝씩 다가오며 말했다.

"미후 씨, 지난번에 제가 설명했죠. 중력파 신호에 담긴 좌표에 대해. 아무것도 없는 텅 빈 공간을 가리키고 있다고."

미후는 유민이 다가올 때마다 조금씩 뒷걸음질 쳤다. 유민이 계속 말했다.

"이미 알고 있겠지만, 152번 좌표가 최근에 추가되었죠. 역시 그곳도 텅 빈 곳이에요. 적어도 지금은. 그런데 그 좌표에서 21년 전에 특이 감마선 폭발[20]이 있었어요."

미셸도 흥미가 생긴 듯 유민을 향해 돌아섰다. 지아는 그게 마음에 들지 않는 듯 총구를 미셸의 이마로 향했다.

"감마선 폭발 자체는 하루에도 수백 건씩 관측돼서 특이한 건 아니에요. 그런데 보통은 외부은하에서나 볼 수 있는 현상이고, 152번 좌표가 가리

20 우주에서 관측되는 감마선 섬광.

키는 위치는 우리은하 내부라는 점이 문제예요. 보통 자연적으로 발생하는 감마선 폭발은 길어야 몇 시간 정도 진행되고 그 뒤로는 약한 잔광이 이어져요. 하지만 21년 전에 관측된 감마선 폭발은 크고 작은 섬광이 며칠 간격으로 이어지다가 마지막에야 절정에 이르는 형태예요. 이전까지 본 적 없는 종류였어요."

"전 과학 수업 들으러 온 게 아니에요. 핵심만 말해요."

미후가 말했다. 유민이 고개를 가볍게 저으며 말을 이었다.

"모든 게 핵심이에요. 이걸 알게 된 이후, 남은 151개 좌표에 대한 과거 150년 동안의 연구 자료를 뒤졌더니, 그중 뒤에서부터 31개의 좌표에서 특이 감마선 폭발이 있었던 게 드러났어요. 아마 앞의 120개 위치에서도 과거에 같은 폭발이 있었겠죠. 그리고 중력파 수신이 가능해진 뒤로 20년 동안… 152번을 포함해 마지막 세 개 좌표에서 감마선 폭발이 시작된 날과 정확히 같은 날 지난번에 말했던 '단말마의 중력파 비명'이 나왔어요. 너무 순간적인 신호라서 자세한 건 알 수 없었죠."

미후는 아무 말도 하지 않았다.

"마지막으로… 34년 전, 152번 좌표에 태양계를

닮은 행성계가 존재할 가능성이 발표되었어요. 직후에 플루토늄 사고가 터져서 후속 연구가 이루어지진 못했지만. 그 뒤에 감마선 폭발과 단말마의 중력파 비명이 관측됐고, 알다시피 이제 거기엔 아무것도 없어요."

유민은 미후의 상상력이 결론을 내리기 전에 먼저 해답을 제시했다.

"전자와 양전자, 물질과 반물질이 반응하며 사라질 때 감마선이 생겨요. 미소 공간에서 쏟아져 나오는 반물질이 엄청난 감마선 폭발을 일으킬 수 있다는 거예요. 그렇게 되면 플루토늄 5년 따위는 아무것도 아닌 일이 돼요. 달 전체가 초토화될 수 있고, 그땐 지구도 위험해질 거예요. 지금 우리가 수신하고 있는 중력파 신호는, 그게 누가 보낸 것이든, 우리에게 경고를 하고 있는 거예요. 과거에 우리처럼 중력파와 미소 공간 에너지를 다루려다 감마선 폭발과 함께 사라진 문명들의 위치를 보내고 있는 거라고요."

어느새 유민은 미후 바로 앞까지 다가왔다.

"미후 씨, 미소 공간 에너지는 우리가 다룰 수 있는 에너지가 아니에요. 미소 공간이 폭주하기 시작하면, 우리도 152번 좌표에 있었던 문명처럼 중력파 비명만 남기고 사라질 거예요."

미후는 유민을 바라보며 속옷 주머니 속에 숨겨 둔 열쇠의 감각을 다시금 확인했다. 유민이 강제로 빼앗으려고 해도 쉽지는 않을 것이다.

"하지만… 누군가는 성공했을지도 모르잖아요. 어떻게 실패를 장담하죠?"

미후의 말이 끝나자마자 유민이 물었다.

"페르미[21]의 역설, 알아요?"

모른다. 미후는 고개를 저었다. 유민이 다시 설명을 시작했다.

"우주에 수많은 별이 있고 그 주변에 역시 많은 행성이 있다면 외계 문명 역시도 셀 수 없이 많을 텐데, 왜 아직 아무도 모습을 드러내지 않았는가, 하는 거예요. 항성 간 이동이야 쉽지 않아도, 전파를 이용한 통신은 매우 원시적인 기술이에요. 하지만 우리는 아무것도 수신하지 못했죠. 도대체 왜? 그러다가 중력파 통신이 나왔어요. 중력파는 모든 방향으로 퍼져 나가고, 게다가 웬만한 물질은 모두 그대로 투과해 버려요. 중력파를 만들기는 어렵지만 기술적 장벽만 뛰어넘는다면, 충분히 발달한 문명이 광대한 우주에서 통신하기에 매우 적합한 수단이죠. 우주적 소통을 노린다면 자연스럽게 중력파 통신에 손을 댈 수밖에 없어요."

21 엔리코 페르미. 미국의 물리학자.

유민이 말을 끊었다. 그리고 다시 이었다.

"…하지만, 중력파 통신을 위해 미소 공간 기술을 개발하면 역시 자연스럽게 엄청난 에너지를 손에 넣어요. 그 미소 공간 기술이 사실은 문명을 자멸로 이끄는… 일종의 여과기라는 거예요. 페르미의 역설이 존재하는 이유는 바로 우주의 침묵을 깨기 위해 통과해야 하는 그 여과기를 아무도 통과하지 못했기 때문이에요. 단순히 빠져나오지 못했을 뿐만이 아니라, 그걸 시도한 문명들은 모두 폭발 속에서 사라졌어요. 오랜 과거의 어느 존재만이, 그나마 반복적인 경고 신호를 발신할 수 있는 무언가를 만들어 놓았어요. 지금 우리가 수신하고 있는 중력파 신호가 바로 그 결과죠."

"… 그물망이라는 이름이 거기서 온 거군. 문명의 여과기라니."

미셸이 끼어들자 유민이 잠시 말을 멈췄다. 미셸은 계속 말했다.

"당신이 말하는 그 그물망… 위대한 여과기 타령 때문에 지금 인류의 진짜 존속이 걸린 일을 훼방 놓겠다니, 제정신이 아니야. 정말 미친…"

미후는 놀랄 수밖에 없었다. 지아가 아무런 예고도 없이, 그리고 아무런 망설임도 없이 미셸의 발목을 쏴 버렸기 때문이었다. 미셸이 불쾌한 비명을 쏟았다.

"설명 끝났으니까, 이제 얼른 열쇠 덮개를 열어. 다음엔 무릎을 쏠 거야. 유민 씨, 열쇠!"

지아의 말에 유민이 미후의 어깨를 향해 손을 내밀었다. 미후는 그 손을 내치며 말했다.

"… 제가 직접 하죠. 원래 제가 맡은 일이었으니까."

미후는 자신이 고작 열쇠 주머니 취급을 받고 있는 지금 상황이 영 마음에 들지 않았다. 불안감마저 지워 버리는 불쾌함이었다. 미후는 지아와 미셸을 향해 다가갔다. 유민은 그저 바라볼 뿐이었다. 바닥 위로 기다랗게 흘러내린 미셸의 피를 건너 열쇠 구멍 앞에 도달한 미후가 물었다.

"… L2 스테이션에선 누가 열쇠를 돌리죠?"
"열쇠는 하나면 충분해요."

지아의 대답에 미후가 뒤돌아봤다.

"크로포드는 그저 당신을 안심시키려고 자기도 열쇠를 돌리겠다고 이야기했을 뿐이에요. 책임을 분산시키면 좀 더 쉽게 설득될 거라고 본 거죠. 그 양반은 지금쯤 지구로 도망가고 없을 거예요. 비상정지로 피스톤 타워가 무너지면 L2 스테이션까지 폭발의 여파가 도달할 수 있으니까."

그렇다면, 결국 크로포드는 또 거짓말을 했다는 거

군. 미후는 다시 속으로 크로포드 개새끼를 외쳤다.

미후가 상상 속에서 크로포드를 세 번 정도 죽였을 즈음, 미셸의 팔이 열쇠 커버의 키패드 위로 올라갔다. 피를 많이 흘렸기에 미셸의 손가락은 달의 모래만큼이나 창백했다.

"이러고 싶지는 않았는데…"

미셸이 숫자를 하나씩 누르며 말했다.

"관제실엔 말이야… 화재가 발생했을 때… 당연하게도… 불을 끄는 수단이 있어. 그런데… 그걸 사실 관제실이 누군가에게 점령당했을 때에도… 쓸 수 있게 돼 있거든. 내 아이디어였지."

마지막 숫자를 누르자 관제실의 모든 조명이 시뻘겋게 변했다.

「관제실 차폐를 강제 해제합니다.」

짧은 방송은 아무런 의미도 없었다. 미후가 그 뜻을 이해하기도 전에 가운데 벽이 양쪽으로 갈라지고, 눈부신 달 표면이 모습을 드러냈다. 진공으로 내달리는 초속 수십 미터의 바람이 미셸과 지아, 미후, 유민, 그리고 오퍼레이터들을 순식간에 관제실 바깥의 달 표면 위로 날려 버렸다. 달의 중력은 그들을 바닥 가까이 잡아 두기에는 너무 약했다.

15.

미후는 모래 위에 떨어지길 기도하며 몸을 둥글게 말고 양손으로 눈과 귀를 막았다. 몸에서 공기가 빠져나가지 않도록, 최대한 숨을 참았다.

1기압 정도의 차이는 몸을 찢을 수 없다. 침착하게 대처하면 살아남을 수 있다. 미후는 이 두 문장을 끊임없이 머릿속으로 되뇌었다.

달의 중력이 약하다고는 해도, 추락의 충격은 결코 만만하지 않았다. 비교적 부드러운 곳에 떨어진 미후의 몸은 수십 바퀴를 구른 뒤에야 겨우 멈췄다. 어딘가의 뼈가 부러졌을 것 같았지만, 확인할 겨를은 없었다. 미후는 당장 옷에 부착되어 있던 경량 우주복을 뜯어냈다. 눈을 뜰 수는 없었지만, 아직까진 손끝의 감각만으로도 충분했다. 경량 우주복의 스위치를 누르자 팔다리가 달린 침낭처럼 생긴 새하얀 비닐 튜브가 펼쳐졌다.

미후는 조심스럽게 눈을 뜨고 튜브 안으로 들어갔다. 안구의 수분이 증발하면서 시야가 조금씩 좁아지기 시작하자 조바심이 들었다. 하지만 서두르면 안 된다. 튜브 안으로 팔다리를 모두 집어넣고 다시 한번 스위치를 누르자 우주복이 밀폐되고 그 안쪽으로 압축공기가 뿜어져 나왔다. 미후는 정신없이 뛰는 심장을 진정시키며 몸을 확인했다.

찢어진 옷 사이로 팔과 다리의 동상과 화상이 보였다. 전혀 다른 두 종류의 상처가 바로 옆에 붙어 있는 모습은 기묘했다. 손가락 끝이 동상으로 찌릿했지만 참을 만했다. 다행히 그 외에 크게 다친 곳은 없었다. 눈과 귀가 아프긴 한데, 문제없이 보고 들을 수 있었다. 옷이 몇 군데 찢어졌고, 속옷이 조금 드러났다. 속옷 주머니에 들어 있던 열쇠는 발밑에 떨어져 있었다.

우주복의 수축 스위치를 누르자 우주복의 부피가 줄어들며 뚱뚱한 피에로 모양이 되었다. 팔다리 움직임이 부자연스러워져 겨우 걸을 수 있었지만, 나쁘지 않았다. 손가락 부분 역시 공기로 부풀어 올라 움직이기가 매우 불편했지만, 떨어진 열쇠를 집어 올리기에는 충분했다.

경량 우주복을 입은 상태로 우주 공간에서 견딜 수 있는 시간은 10분 정도뿐이다. 10분이 지나기 전에 관제실에 도착해 구출을 기다려야 한다. 지아가 30분 동안은 아무도 오지 못할 거라고 한 게 언제였지? 부디 20분 이상 지났기를.

미후는 관제실의 위치를 확인하기 위해 주변을 살폈다. 관제실의 방향을 확인하고 발걸음을 옮기려 할 때, 조금 떨어진 곳에 있는 무언가가 눈에 보였다.

경량 우주복을 입은 채 쓰러진 유민이었다. 우주복은 처참하게 찢어져 있었다. 추락하기 전에 우주복을 입으려고 한 게 틀림없었다. 자기 나름대로 시간을 아끼고 살아남을 가능성을 높이려고 했겠지. 하지만 경량 우주복은 말 그대로 경량에 중점을 둔 물건이다. 쉽게 찢어지기 때문에 충격이 오기 전에 입어서는 안 된다. 미후는 뛰어난 머리를 가진 유민도 생존하지 못한 사고에서 자신이 살아남았다는 사실에 조금 비겁한 안도감을 느꼈다.

3분 정도 걷자 관제실로 돌아올 수 있었다. 내부의 시설들은 여전히 멀쩡하게 작동하고 있었다. 붉은 조명은 사라지고, 오퍼레이터들이 쓰던 개인용 컴퓨터 화면이 새파랗게 빛났다.

열쇠 덮개는 떨어져 나가고 없었다. 열쇠 구멍은 무방비하게 노출되어 있었다.

「열쇠를 꽂고 돌려요.」

우주복 속의 무전기에서 형편없는 음질로 지아의 목소리가 흘러나왔다. 미후가 고개를 들고 주변을 살피자, 한참 떨어진 곳에서 경량 우주복 하나가 관제실을 향해 다가오고 있었다. 지아가 분명했다. 도착하는 데 5분은 거뜬히 걸릴 것 같았다.

「미후 씨, 이제 특이점이 만들어지기까지 5분도 남지 않았어. 지금 당장 가동을 멈춰야 해.」

"… 왜 가동을 시작하기 전에 멈추지 않은 거죠?"

미후가 물었다. 지아는 대답하지 않았다.

"대답해 봐요. 비상정지를 하면 피스톤 타워가 무너지면서… 이 근방이 정말 증발해 버리나요?"
「… 맞아. L2 스테이션도 안전하진 못할 거야.」

크로포드 개새끼, 개새끼, 개새끼.

"애초에 죽을 생각이었던 거군요. 일부러 반물질이 쌓이길 기다렸다가, 비상정지로 시설을 모조리 날려 버릴 생각이었군요."

미후는 허탈함에 후들거리는 다리를 이끌고 열쇠구멍 앞으로 갔다.

"도대체 왜 날 끌어들인 거예요? 난 그냥 홍보부 직원이었는데…. 크로포드는 나더러 배신자를 찾으라더니 정작 본인이 배신을 저지르고 있었네요. 뭘 위해서 당신을 내 비서로 만들고, 내가 유민을 만나게 한 거죠?"
「… 크로포드가 당신을 고른 거야. 그는 책임을 피하고 싶어 했거든. 내가 그를 끌어들였는데… 그는 자신이 우릴 막으려 했다는 증거를 남기기 위해 당신을 이용한 거야. 당신이 유민을 조사하게 하거나, 자신도 열쇠를 돌리겠다고 한 것 모두, 당신이 자신을 믿고 움직이게 하기 위해서였어. 자신을 위한 장기말로 미후 씨를 고른 거야. 열쇠

운반책이자 보험으로. 그게 그가 우릴 도와주는 조건이었어. 이건 진심이라는 걸 맹세할게. 정말, 난 미후 씨 당신을 끌어들일 생각이 없었어.」

"그물망 멤버는 당신과 유민, 그리고… 크로포드뿐인가요?"

「아니. 물론 더 있어. 대부분은 보안부에 숨어 있지만…. 간부 중엔 크로포드뿐이야.」

"당신은 크로포드와 무슨 관계죠?"

「아무 관계도 아니야. 난 회사 내부 정보가 필요했고 그는 부사장직을 지키기 위한 보험이 필요했기에, 잠시 손을 잡은 거야. 그뿐이야.」

두 사람 사이에 잠시 침묵이 이어졌다.

「미후 씨, 그러니까 제발, 열쇠를 꽂고 돌려. 여과기가 우릴 막기 전에…. 아들을 위해서라도. 아들이 있는 L1 콜로니는 안전할 테니까…」

역시 상사의 비서들은 남의 가족사에 대한 관심을 못 버리는구나. 농담이라도 들은 것처럼, 미후의 입에서 웃음이 살짝 흘러나왔다.

미후는 열쇠를 열쇠 구멍에 꽂았다.

멀리서 걸어오는 지아를 바라봤다. 부풀어 오른 경량 우주복을 입은 채 뒤뚱뒤뚱 걸어오는 모습이 우스웠다. 달 반대편에 있는 지구로 도망간 크로포드의 근엄한 모습을 상상하니 역시 또 웃음이 나왔다. 똑똑한 척하다가 죽어 버린 유민의 모습도 하찮았다.

하지만 무엇보다, 완벽하게 농락당한 자신의 모습이 마음에 들지 않았다. 무엇 하나, 자기 뜻대로 한 게 없었다. 크로포드의 미끼에 걸리고, 지아의 거짓에 속고, 유민의 연기에 넘어갔다. 미셸? 그 작자는 이제 기억도 나지 않는다.

미후는 조금 더 이기적이 되어도 좋지 않을까 생각했다. 크로포드에게 집을 요구했던 것처럼. 미후가 유일하게 자기주장을 했을 때처럼.

그러고 보니 전남편은 인텍 주피터 앤 가스의 임원이었다. 생산량이 기대치를 따라가지 못하는 데다 수요마저 줄어들어 운영이 어려워진 곳이었지만, 전남편은 회사가 돌아가기만 하면 돈이 들어오는 위치에 있었다. 그리고 인텍 주피터 앤 가스는 목성계와 토성계의 주민들이 존재하는 한 적자가 나더라도 에너지 생산 시설을 결코 멈출 수 없었다. 적어도 미소 공간 에너지가 사용 가능해지기 전까지는. 주피터 앤 가스가 무너지면 전남편도 무너질 것이다. 그는 주피터 앤 가스만을 바라보면서 인맥을 타고 올라간 사람이었으니까. 실제로 할 줄 아는 일은 아무것도 없으니까.

미후는 유민이 했던 이야기를 떠올렸다. 위대한 여과기. 더 그레이트 필터. 우스웠다. 세계 최고의 과학자들이 만든 시설이 그렇게 쉽게 실패할 리가 없다. 지난 세기에 입자가속기에서 발생한 미니 블랙홀이 지구를 삼킬 것이라는 터무니없는 걱정에 반대 시위를 일으킨 사람들이 있었다는 얘기를 들은 적이 있었다. 결과적으로 미니 블랙홀은 헛소리였고, 과학은 진보했다.

그런데 위대한 여과기 따위의 멍청한 소리를 하는 사람들 때문에 자칫 급진파 테러리스트가 될 뻔했다.

지아가 10미터 앞까지 다가왔다.

미후는 열쇠를 다시 뽑았다.

지아의 발걸음이 빨라졌다.

미후는 있는 힘껏 열쇠를 바깥으로 던졌다. 열쇠는 느리게 포물선을 그리며 달 표면 먼 곳에 떨어졌다. 5분 안에 왕복할 수 있는 곳이 아니었다. 경량 우주복으로 버틸 수 있는 시간은 이제 길어야 4분 정도. 피스톤 타워가 터널 속으로 반물질을 쏴서 특이점을 만들기까지는 2분도 남지 않았다. 이제 이 상황을 막을 물리적 방법은 아무것도 남아 있지 않다.

무슨 일이 일어날지 알 수는 없지만 어쨌거나 미래는 정해졌다. 미후는 오늘 일이 제대로 알려져 자신이 유명해지고, 남편의 코가 납작해지고, 아들의 양육권이 자신에게 넘어오는 미래를 그렸다.

미후와 2미터 떨어진 곳에서 지아가 힘없이 주저앉았다. 무전기 너머로 지아의 거친 숨소리가 들려왔다. 불편한 달의 중력 속에서 나름 힘껏 뛰어온 것이었다.

「미후 씨…, 플루토늄 5년 사건이 왜 생긴 줄 알아?」

지아의 뜬금없는 질문에 미후는 아무 말도 하지 못했다.

「사람들은 플루토늄을 이해하고 있다고 생각했어. 플루토늄을 다룰 줄 안다고. 거기서 안전하게 에너지만 뽑고 저장할 수 있다고.」

지아가 말하는 속도가 눈에 띄게 느려졌다.

「근데… 그게 아니었어. 위험한 착각이었지. 플루토늄은 우리가 아는… 가장 복잡한… 물질이었으니까. 저장소에 있는… 플루토늄-갈륨 합금이 안정적인 이유를… 제대로 아는 사람이 아무도 없었으니까. 그저 만들어 보니까 굴러다니는 돌만큼 안정적이라서 썼을 뿐이니까. 아무도… 그 합금이 만들어지고 나면… 150년 뒤에… 갑자기 핵반응을 일으킬 거라고 예상하지 못했으니까.」

이제 말보다 숨소리가 많아졌다.

「우린 저… 미소 공간을… 얼마나… 이해하고…

있을까…」

지아의 몸이 앞으로 쓰러졌다. 달 표면의 잿빛 먼지가 둥그렇게 솟아올랐다. 달려온 탓에 우주복의 생명 유지 기능이 평소보다 빨리 한계에 이른 것이었다. 지아의 숨소리가 조금씩 약해졌다. 그리고 멎었다.

멀리서 월면차를 타고 관제실로 다가오는 사람들이 보이자 미후는 지아에게서 뒷걸음질 쳤다. 우주복 내의 산소가 조금씩 줄어들었고 미후의 체력도 떨어지기 시작했다. 미후는 조금 전까지 유민이 앉아 있던 의자 위에 힘없이 엉덩이를 붙였다.

컴퓨터의 화면이 미후의 눈에 들어왔다. 피스톤 타워가 반물질을 쏘기까지 30초밖에 남지 않았다면서, 중력파에 담을 메시지 결정을 요구하고 있었다. 화면 구석에 몇 가지 준비된 선택지가 있었지만, 모두 미후가 이해할 수 있는 종류의 것이 아니었다.

미후는 모든 선택지에서 체크 마크를 제거했다. 그리고 키보드 위로 섬세하지 못한 우주복 손가락을 올려 이리저리 움직였다.

미후는 몇 문장을 쓰고는 입력 확인과 완료 버튼을 눌렀다.

유민이 개발한 복잡한 이름의 어떤 방법으로 메시지가 컴파일되어 반물질 주사 패턴에 입력되고 있다는 문구가 나타났다.

월면차가 관제실 앞에 도착했고 그 안에서 나온 구조대 — 혹은 경비대 — 가 미후의 몸을 붙잡더니 여기저기를 뒤졌다. 상처를 확인하려는 걸까. 하지만 미후는 그들의 표정 속에서 곤혹스러움을 읽을 수 있었다.

대원 한 명이 미후에게 뭐라고 소리쳤지만 들리지 않았다. 미후는 무전기가 고장 났다고 생각했다가, 곧이어 자기가 이산화탄소에 중독되고 있다는 것을 깨달았다. 감각이 무뎌지고 잠이 쏟아졌다.

지평선 위로 솟아 있던 피스톤 타워가 새하얗게 빛났다. 미후는 타워가 터널 속으로 반물질을 쏘았다는 것을 알 수 있었다. 지금까지 본 어떤 것보다도 밝은 섬광이 미후의 눈을 잠시 동안 멀게 했다. 덕분에 미후는 조금 전 소리치던 대원이 그녀의 우주복을 칼로 찢으려고 하는 것을 보지 못했다.

강력한 월진[22]이 관제실을 덮쳤다. 달 전체가 진동에 휩싸였다. 미후는 묘한 쾌감을 느꼈다.

16.

플로리다의 별장으로 찾아온 인텍 법무팀의 변호사에게 크로포드는 서류 뭉치를 건네줬다. 자신은

22 月震. 달에서 일어나는 지진.

중력파 시설 관제실에서 발생한 테러를 예상했고 그 사태를 막기 위해 최선을 다했다는 증거가 담긴 자료였다. 자료의 맨 첫 장에는 미후의 이름이 간간이 눈에 띄었다.

크로포드의 예상대로라면, 며칠 뒤에는 전 세계에서 중력파 시설과 미소 공간 에너지 채굴에 반대하는 움직임이 일어날 것이다. 플루토늄 5년 때 심어진 기술에 대한 공포는 사람들의 뇌리 깊숙한 곳에 박혀 있으니까.

지난 30년 동안, 인텍 루나와 주피터 앤 가스를 이끌며 인류를 에너지 위기에서 구한 건 다름 아닌 크로포드였다. 그런데 달에서 땅이나 파며 살아야 할 루나리안 놈들이 가속기를 만들더니 헬륨3와 메탄 자원을 무시하기 시작했다. 크로포드는 용납할 수 없었다. 멍청한 사장이 루나리안과 결혼하는 바람에 그동안 동조하는 척하며 잠자코 있었지만, 이제 한계였다.

크로포드는 변호사를 내보낸 뒤, 포도주가 든 잔을 들고 창가 소파에 앉아 바깥을 바라봤다. 해가 진 지 얼마 되지 않아 연보랏빛으로 물든 하늘 위로 초승달이 떠 있었다.

원래는 미후나 지아가 실행할 비상정지로 주변 시설과 증인들, 그러니까 그곳에 있는 모두를 깨끗하게 날려 버릴 생각이었다. 지아의 실패와 미셸의 행동 모두 예상 외였지만, 크로포드는 재빠르게 움직였다.

지금쯤 그가 매수한 경비대원들이 산소가 고갈된 우주복 속에서 살려 달라고 애원하는 미후에게서 열쇠를 빼앗아 비상정지를 실행했을 것이다. 그리고 지아와 유민의 지문을 찍어 둔 폭발물을 몇 개 설치하고 있을 것이다. 어차피 그곳은 증발하기 때문에 지문을 찍어 두는 건 무의미한 짓이었지만, 비상정지가 무엇을 의미하는지 모르는 경비대원들을 원활히 움직이기 위해서는 그럴듯한 가짜 임무를 섞어 둘 필요가 있었다.

지금 달 뒷면에서 일어나고 있을 일에 대한 상상을 안주로 삼으며, 크로포드는 포도주를 한 모금 들이켰다.

다시 성장하게 될 인텍 루나와 주피터 앤 가스를 어떻게 이끌어 나갈까 고민하던 즈음, 크로포드는 하늘에 떠 있는 것이 더 이상 초승달이 아니라는 것을 깨달았다.

거기 있는 것은 거대한 보름달이었다. 달 전체가 새파랗게 빛나고 있었다.

하지만 무슨 상황이 벌어졌는지 이해할 시간은 크로포드에게 주어지지 않았다. 3초 남짓이 지난

후, 크로포드의 눈이 녹아내렸다.

17.

달이 빛 속으로 사라졌다. 달빛 아래에 있던 사람들이 그걸 깨닫기도 전에, 쏟아지는 감마선이 달을 바라보던 지구의 절반을 불태웠다.

지구의 남은 절반에서 살아남은 사람들은 도망가기 위해 아우성쳤다. 하지만 한나절이 지나 그들이 밟고 있는 땅이 달이 있던 하늘을 향했을 때, 특이점에서 쏟아진 반물질들이 지구에 도달했다. 이 60해(垓) 톤[23]의 행성은 거대한 섬광과 함께 에너지로 바뀌면서 감마선을 내뿜었다.

반물질들은 경로상에 있는 모든 물질을 순수한 에너지로 치환하면서 행성 간 공간으로 뻗어 나갔다.

특이점은 5일 동안 유지됐고, 그동안 태양계로 쏟아진 반물질의 양은 태양의 질량을 넘어섰다. 초속 수천 킬로미터의 속도로 뻗어 나간 반물질들은 며칠에 걸쳐 가까이 있는 행성들을 하나둘씩 삼켰고, 그때마다 감마선 폭발이 이어졌다.

마침내 태양의 차례가 왔다. 반물질들은 자전하는 태양의 중력이 마련해 준 궤도를 따라 소용돌이

23 지구의 대략적인 질량.

를 그리며 채층[24]을 뚫고 광구[25]로 떨어졌다. 태양의 표면에서 새하얀 감마선의 파도가 일었다. 곧이어 태양계 역사상 가장 큰 폭발이 일어났다.

거대한 감마선 섬광과 함께, 태양계가 완전히 증발했다.

18.

블랙홀 쌍성[26] 둘레를 멀리서 공전하던 파수병은 새로운 신호를 포착했다. 중력파와 감마선이었다. 여러 번의 감마선 섬광이 이어지더니 마지막에는 앞선 것들보다 압도적인 세기의 섬광이 감지되었다. 파수병은 감마선 패턴을 토대로 폭발이 일어난 항성 주변에 커다란 가스 행성과 자그만 암석 행성이 서너 개씩 있었을 거라 추측했다.

중력파 속에는 지적 존재가 만들어 낸 것이 분명한 메시지가 담겨 있었다. 하지만 감마선의 양으로 미루어 보아 그 세계는 같은 일을 겪은 다른 곳들과 마찬가지로 이미 증발하고 없을 터였고, 내용도 그리 중요해 보이지 않았다.

파수병은 그렇게 판단하고 중력파 속 메시지를 폐기했다.

24 태양 표면 근처의 비교적 투명한 대기로 두께는 2000킬로미터 정도.
25 태양의 가스층이 불투명해지기 시작하면서 표면처럼 보이는 부분.
26 서로의 주변을 공전하는 두 개의 천체.

감마선이 완전히 사라지자, 파수병은 데이터베이스에 153번째 좌표를 추가했다. 그렇게 우주의 침묵을 깨려던 문명이 또 하나 사라졌다.

파수병은 문득 자신을 만든 존재에 대해 생각했다. 파수병은 그들이 누구인지 몰랐다. 그들은 내부에 대량의 반물질을 가득 채운 파수병을 만들어 블랙홀 쌍성 주변에 둔 다음 단 한 가지의 임무를 주고는 사라졌다.

파수병은 다시 묵묵히 자기 일에 집중했다. 회전하는 두 블랙홀에 반물질을 조금씩 흘려 보내 중력파를 조절하며[27], 우주의 모든 방향으로 153개의 문명이 어떻게 사라졌는지에 대한 경고를 보냈다.

내부에 남아 있는 반물질이 고갈되거나 블랙홀 쌍성이 충돌하며 파수병을 집어삼키고 나면, 파수병의 임무는 끝날 것이다.

하지만 부디 누군가가 또 다른 파수병을 만들어 계속해서 경고를 보낼 수 있기를, 파수병은 기도했다. 지금까지 그래 왔던 것처럼.

그리고 다시 기도했다.

부디 모두 침묵을 지키기를.

우주의 위대한 침묵이 계속되기를.

27 블랙홀 쌍성은 지속적인 중력파 발생의 대표적인 원인이다.

위그드라실의 여신들

랩 프로파일

무리아스 카오스[28] 기지, 유로파[29]

책임자: 세실리아 오우양(유전자 편집)

연구원: 수미 치가넨코(해양생물학), 마야 벨 버넬(목성학)

무인 설비: 클라크 ver0.9.461(전자두뇌 기반 현장 연구용 인공지능, 필요 시까지 미가동)

상태: 철수 준비 중

최신 정보:

프로젝트 매니저 직접 파견(14시간 전)

자기폭풍[30]으로 인한 통신 두절(32시간 전)

28 유로파의 목성 쪽 표면에 위치한 카오스. 행성 표면의 얼음이 깨지거나 녹아서 변형된 지형을 카오스 지형이라고 부른다.

29 목성의 거대 위성 중 하나. 표면이 얼음으로 뒤덮여 있고 그 아래엔 바다가 있다고 추정된다.

30 자기장이 극심하게 요동치는 현상. 지구 주변에서도 자주 일어나며 주요 원인은 태양풍이다.

수미 치가넨코

"좋아. 이제 옷을 벗겨 보자고."

세실리아가 내 어깨를 비스듬히 누르며 말했다. 옷이 미끄러지면서 목 아래의 맨살이 드러났다.

"벗겨야 할 건 내 옷이 아니잖아요!"

"아, 미안. 가까이서 보고 싶어서. 마야, 의자!"

마야는 자기 것까지 의자 두 개를 가져왔다. 두 사람은 내 좌우에 자리 잡고 앉아 유리 벽 너머를 바라봤다. 벽 건너편에 있는 무균 작업대 위에는 나방 번데기처럼 생긴 어른 팔뚝 크기의 물체가 있었다. 새카만 금속 표면은 마치 기름을 발라 놓은 것처럼 번들거렸다.

나는 초진동 절삭기[31]의 진동수를 5만 헤르츠에 맞췄다.

"조금만 더 올리자."

세실리아가 말했다. 조금이라면 어느 정도일까. 나는 '조금'의 양을 추정하며 진동수 다이얼을 돌렸다. 이제 칼날은 초당 7만 번 진동한다. 공기마저 자를 수 있을 것 같다. 세실리아가 아무 말도 하지 않는 걸 보니 딱 이 정도를 말한 것 같다.

"이제 자릅니다."

나는 침을 삼키며 절삭기의 칼날을 천천히 번데기 가까이 가져갔다. 고개를 숙여 번데기 표면을 바로 옆에서 바라보며 조심스럽게 칼날을 내렸다.

"불꽃이 튈까요?"

마야가 물었다. 나는 대답할 여유가 없었다. 세실리아는 대답할 생각도 없는 것 같았다.

표면이 소리 없이 갈라졌다. 불꽃은 거의 튀지 않았다. 엑스선사진에서 본 대로 껍질은 굉장히 얇았다. 하지만 초진동 절삭기가 필요할 만큼 단단했다. 이 껍질 자체도 신기한 물건이었지만, 우리에게 중요한 건 그게 아니었다.

31 칼날 부분을 빠르게 진동시켜 물체를 자르는 도구. 불필요한 손상을 최소화할 수 있다. 초음파 절삭기 등으로도 불린다.

나는 절삭기를 이리저리 움직이며 껍질을 잘라냈다. 그 안에 담긴 게 모습을 드러낼 때까지.

“세상에.”

세실리아가 감탄사를 뱉었다.

“와우.”

마야도. 나는 그저 정신이 아득했다.

껍질 속에서 모습을 드러낸 건 나뭇가지 같은 촉수 세 개가 달린 달팽이를 닮은 생물이었다. 아스가르드의 아스[32]족이었다. 살아 있지는 않았다. 처음 봤을 땐 징그러워 소름이 돋았지만, 이후로 수십 번을 마주했더니 이제 귀여워 보일 지경이다. 아스족이 이번처럼 금속 고치 안에서 발견된 건 처음이었다.

“몸 아래에 뭔가 있는 거 같아. 꺼낼 수 있겠어?”

나는 장갑에 구멍이 없는지를 확인하고 조심스럽게 아스족의 시체를 껍질 속에서 꺼냈다. 시체는 차가웠고 단단하게 굳어 있었다. 오랜 세월 얼음 속에 있었으니 그럴 만도 했다.

껍질을 뒤집어 털자 자그만 금속 조각들이 떨어졌다. 동물의 뼈 같기도 했고 배설물 같기도 했다. 처음 보는 것들이었다.

32 고대 북유럽신화 속 신들의 세계인 아스가르드의 주민들을 이르는 말.

"장신구야."

세실리아가 말했다. 손가락이 금속 조각 하나를 가리키고 있었다.

"저기, 저거. 뱀 갈비뼈처럼 생긴 거. 저걸 가운데 촉수에 올려 봐."

놀라웠다. 장신구가 맞았다. 뱀 갈비뼈처럼 생긴 물건은 복잡한 구조로 되어 있는 아스족의 가운데 촉수를 정확하게 감쌌다. 지금은 촉수가 굳어 있어서 움직이지 못하지만, 살아 있었다면 장신구를 착용한 상태로 자유롭게 움직일 수 있었을 법한 관절 구조가 마련되어 있었다. 같이 나온 다른 물건들도 마찬가지였다. 어떤 건 반지처럼 촉수에 끼울 수 있었고, 또 어떤 건 마스크처럼 아스족의 입을 보호할 수 있었다.

"이게 무슨 뜻인지 알아?"

세실리아는 억지로 흥분을 억누르며 침착함을 유지하고 있었다. 표정을 보면 알 수 있었다.

"장례를 지낸 거 같아요."

마야가 대답했다. 딱히 흥분한 얼굴은 아니었다.

"그렇다는 건…"

내가 말했다. 결론은 세실리아가 말할 게 분명했기에 일부러 말끝을 흐렸다.

"아스족이 사후 세계를 인식하고 있다는 거야. 종교가 있을 수 있다는 거고 문명이 있을 수 있다는 거라고. 우린 방금 태양계에서 처음으로 지구 밖의 지성체를 발견한 거야."

세실리아는 결국 소리를 지르며 흥분을 터뜨렸다. 마야는 담담했다. 나는 아마 그 중간 정도일 것이다. 역사에 남을 대단한 발견이란 건 분명했지만, 내겐 부족하게 느껴졌다.

"이걸 얘기하면 철수 명령이 취소될 수 있을까요?"

마야가 물었다. 세실리아는 금세 냉정을 되찾고는 고개를 저었다.

"아니, 그건 안 될 거야. 더 급한 문제들이 넘치니까. 그나마 돌아가기 전에 발견할 수 있어서 다행이지."

돌아가기 전에 얼음 밑 바다로 내려가 보고 싶었다. 유로파 해저를 들여다보기 위해 수십억 킬로미터를 날아왔다. 하지만 도착해서 지금까지 한 일은 얼음을 파내고 그 속에서 시체를 찾는 것뿐이었다. 하필이면 내가 지구를 출발하자마자 해저탐사가 취소되었다. 엔셀라두스[33]의 바다를 탐사했던 잠수정이 그곳에 있던 미생물들을 몰살시키고 지구 출신 돌연변이 대장균을 창궐케 한 게 원인이었다. 잠수

33 토성의 위성 중 하나. 유로파와 함께 표면의 얼음 아래에 거대한 바다가 있을 것으로 추정되는 곳이다.

정 멸균 시설에 문제가 있다나 뭐라나. 그 바람에 유로파의 잠수정은 시동도 걸지 못했다.

오늘 발견한 아스족의 시체는 수백 년, 길게는 천 년 이상을 얼음 속에 묻혀 있었다. 80킬로미터 해저에서 떠올라 얼음으로 된 천장에 닿기까지 또 오랜 시간이 걸렸을 수 있다. 장례 의식 따위로 흥분할 이유가 없었다. 지금 이 순간, 우리 발밑의 얼음과 바다 아래에서는 더 놀라운 일들이 펼쳐지고 있을 게 분명했다. 하지만 우리는 보지 못한다.

"중요한 발견을 한 날이니 스테이크나 먹자. 모처럼."

세실리아가 말했다. 마야가 엄지를 치켜세우며 동의했다. 이 두 사람을 만난 것이 유로파에서 얻은 최대의 성과였고 그것만으로 충분한 것도 사실이었다. 하지만 아쉬운 건 아쉬운 거니까.

*

"그나저나 미드가르드[34]라는 이름은 언제까지 아껴 둘 생각이에요?"

스테이크를 자르며 세실리아에게 물었다. 칼질을 싫어하는 세실리아는 처음부터 조그맣게 만들어진 스테이크 조각을 포크로 찍어 두고는 대답했다.

34 고대 북유럽신화에서 인간이 사는 세상.

"언젠가 인간이 유로파에 정착하게 되면 그때 쓰려고. 지금 우린 어디까지나 임시 거주자니까."

나와 세실리아는 거의 동시에 스테이크 조각을 삼켰다. 마야는 이미 접시를 비우고 오늘 채집한 아스족 자료를 살펴보고 있었다.

"떠날 날이 다가오는데 이제 구름층 녀석들에게라도 미드가르드란 이름을 줘야 하지 않아요?"

세실리아는 대답하지 않았다. 나도 대답을 바라고 물은 건 아니었다. 세실리아는 그저 유로파로 돌아올 여지를 남겨 두고 싶은 것일 테니까.

우리는 유로파에서 발견한 여덟 개의 거대 열수 화산에 북유럽신화에서 가져온 지명을 이름으로 붙였다. 직접 얼음 바다에 들어가진 않았지만, 위성의 열 추적 영상과 음파 탐지 내용 및 얼음 지형으로 추정한 결과 열수 화산은 모두 해저에서 20킬로미터 이상 솟아오른 거대한 지형이었고, 꼭대기의 열수구[35]에서 뿜어져 나오는 열수의 양은 그 주변에 생태계를 만들어 내기에 충분했다. 아직 증거는 발견되지 않았지만 유로파 바다의 이상할 만큼 높은 산소 농도 역시 열수가 원인인 것으로 보였다.

35 지구의 심해에 있는 열수구 주변에는 열수구에서 나오는 열과 화합물에 의지해 살아가는 생물들의 생태계가 조성된 곳이 많다. 유로파의 해저에도 그러한 열수구가 있다면 생태계가 존재할 가능성이 있을 것으로 추정된다.

가끔 열수구가 대규모 분출을 일으킬 때마다 대량의 온수가 100킬로미터의 냉수층을 뚫고 올라와 얼음층에 닿았다. 얼음층이 녹고 갈라지면서 카오스나 마쿨라[36] 따위의 지형이 생겨났다. 그리고 열수구 주변에 있던 물질들이 그 흐름을 타고 올라와 얼음층 위에서 발견되기도 했다. 거기서 태양계 최초의 지구 밖 동물 화석이 발견되었다. 여덟 개의 열수구 근처에 서로 다른 생물들이 산다는 증거가 쏟아졌다. 고작 2년 전의 일이다.

"다들 서로의 존재를 알까요?"

마야가 자료를 들여다보며 말했다.

"열수구들은 대부분 수백 킬로미터씩 떨어져 있는데 열수구 생태계는 넓어 봐야 100제곱킬로미터 정도밖에 안 될 거고, 화석을 살핀 결과만 보면 어떤 녀석이든 온도에 굉장히 민감하잖아요. 아마 각자의 열수구 영향권에서 한 발짝도 못 벗어날 거예요."

세실리아는 마지막 고기 조각을 먹으며 말했다.

"걔들한텐 열수구가 하나의 행성이고 그 바깥은 차가운 우주 공간 같을 거야. 글쎄, 어떤 모험심 넘치는 개체가 있어서 보온 잠수정 같은 걸 만들었

36 얼음 표면이 일시적으로 녹아서 액체 상태의 물이 노출되어 표면이 어둡게 변한 곳.

다면 걔들도 서로를 발견했을 수 있지. 아니면 지금쯤 냉수층에서도 살 수 있을 만큼 진화했거나."

나는 배가 불러 몇 조각을 남기고 포크와 나이프를 내려놓았다. 그리고 말했다.

"최근에 발견된 녀석들은 길어 봐야 천 년 전에 죽은 것들이에요. 열수구가 아직도 열과 양분을 뿜어내는데 굳이 냉수 영역까지 나갈 만큼 진화하기에 천 년은 너무 짧은 시간이에요. 얘들이 진화하는 속도가 빠르긴 하지만, 그건 너무 빠르죠. 대신 정말 잠수정 같은 걸 만들어서 한쪽이 다른 한쪽을 발견한다면 그것도 나름대로 외계인과의 접촉 아닐까요? 적어도 우리가 아는 바로는, 여덟 곳의 생물군은 모두 독립적으로 발생하고 진화한 녀석들이잖아요. 세실리아의 말대로, 정말 서로 다른 행성에서 태어난 거나 마찬가지죠."

유로파의 바다는 하나의 우주였다. 우리가 태양에 의지해 살아가는 것처럼, 유로파의 생물들은 열수구에 의지해 살아가고 있었다. 그리고 우리가 다른 별의 생물을 상상하는 것처럼, 열수구의 생물도 다른 열수구의 생물을 상상하고 있을지도 모를 일이었다.

"내가 어렸을 때만 해도 지구의 생명 탄생은 기적처럼 여겨졌었는데 말이야."

세실리아가 말했다.

이제 무에서 생명이 발생하는 일은 흔한 일이 되었다. 비록 지금은 변종 대장균의 세상이 되었지만 엔셀라두스에도 그곳 고유의 생명이 있었다. 유로파엔 적어도 여덟 개의 독립적으로 발생한 생태계가 있다. 하지만 유로파 세계의 탄생을 흥미롭게 만들어 주는 사실은 따로 있었다.

"유로파의 생물들이 냉수 영역을 가로지를 수 없다면, 도대체 그들을 이어 주는 건 뭘까요?"

마야의 물음. 오늘 발견한 장례의 흔적만큼이나 우리의 궁금증을 일으키는 질문이었다.

우리는 유로파의 얼음층 속에서 3000개가 넘는 열수구 생물 화석을 발견했다. 열수 화산 하나에서 수백 개의 화석이 나왔다. 얼음층의 나이로 판단했을 때, 가장 오래된 것은 300만 년 된 원시적인 다세포생물의 화석이었다. 흥미로운 사실은 여덟 개의 열수구 모두 300만 년 전부터 생물이 나타났다는 흔적을 가지고 있다는 것이었다. 그리고 수만 년에 한 번씩, 여덟 열수구 생태계 모두에서 생물군의 급격한 변화가 일어났다. 개체 수는 급격히 줄고 진화가 가속됐다.

완벽하게 독립된 여덟 개의 세계가 동시에 시작되었고 같은 시기에 큰 변화를 겪고 있었다. 마치 누군가가 실험이라도 하는 것처럼.

"우리가 모르는 곳에 여덟 세계를 이어 주는 세계수[37]가 있을지도 몰라요. 신화에 나오는 것처럼. 이름이 뭐더라?"

마야는 손가락으로 허공에 나무를 그리며 말했다. 가느다란 손가락은 여덟 개의 가지를 치고 다시 테이블 위로 내려갔다.

"이름은 그냥 이름일 뿐이야. 신화는 다 거짓말이고. 애초에 그 세계수라는 게 있다는 보장도 없지."

세실리아는 냅킨으로 입을 닦고는 자리에서 일어섰다. 나와 마야도 뒤따라 일어섰다. 마야는 접시를 모두 폐기구에 넣었다. 폐기구에 들어간 식기와 남은 음식은 순식간에 분해되고 걸쭉하게 녹아서 성분별로 나뉘었다. 액체는 거꾸로 자란 나무같이 생긴 여과 튜브에서 다시 분류되어 3D 프린터의 원료 탱크로 들어갔다. 볼 때마다 묘한 기분이었다. 생활용품과 음식이 모두 같은 기계에서 나오고 처분된다니. 지구였으면 위생관리국에서 찾아올 일이었다.

*

잠자리를 준비하는 도중에 손님이 왔다. 가니메

37 世界樹. 여러 세계를 연결하거나 하늘을 떠받치고 있는 거대한 나무. 다양한 종교와 신화 속에서 우주의 기원을 설명할 때 등장한다.

데[38] 본부에서 온 제롬 에그너라는 프로젝트 매니저였다. 나와 마야는 처음 본 사람이었지만, 세실리아와는 아는 사이였다. 제롬은 1인용 우주선에서 내리자마자 우주복을 거칠게 벗어 바닥에 던졌다. 목성의 강력한 방사선 때문에 우주복은 매우 두꺼웠고, 그만큼 떨어지는 소리도 요란했다. 세실리아는 제롬의 행동에 불쾌한 듯 눈살을 찌푸렸다.

"가니메데에서 여기까지 뭐 하러 온 거죠?"

세실리아가 물었다. 제롬은 우리에게 써도 되는지 묻지도 않고 구석에서 트렁크 하나를 끌고 와 그 위에 앉으며 말했다.

"철수 명령이 나왔습니다. 다른 곳 사람들은 벌써 모두 철수했고 이제 여기만 남았어요. 마지막 행성 간 우주선이 이미 이륙해서 가니메데 주위를 돌고 있어요. 6일 뒤에 지구로 출발할 거고, 그걸 타려면 3일 안에 이곳을 떠나야 합니다. 여러분은 가니메데에 착륙할 틈도 없이 궤도에서 바로 우주선에 올라타야 해요."

"철수가 결정됐다는 건 알아요. 계획상 날짜는 90일 뒤였죠. 근데 갑자기 6일 뒤라니. 왜 서두르는 거죠?"

나와 마야는 세실리아에게 대응을 맡기기로 하고

38 목성의 위성 중 하나. 태양계 최대의 위성으로 수성보다도 크다.

뒤로 물러섰다.

"지구 상황이 심각해졌어요."

제롬은 이마에 주름을 잔뜩 만들며 긴 설명을 시작했다.

3년 전, 중국 창사에 자그만 운석이 떨어졌다. 인적 없는 농경지에 떨어졌기 때문에 피해는 크지 않았다. 하지만 진짜 재앙은 운석에 대한 뉴스조차 사라졌을 때 시작되었다. 운석이 떨어진 곳 주변의 식물이 알 수 없는 전염병으로 죽기 시작했다. 창사과학기술대학에서 병원체를 채집해 확인한 결과, 지금까지 목격된 적 없는 완전히 낯선 종류의 미생물이었다. 그리고 운석 내부에서 같은 병원체의 군집이 발견되었다. 인류가 처음으로 직면한 본격적인 우주 바이러스 사태였다. 운석이 지면과 충돌하기 전 마지막으로 촬영된 위치가 안드로메다자리였기 때문에 발견자들은 이 병원체를 퀴수[39] 바이러스라고 불렀다.

그나마 다행인 점은 퀴수 바이러스가 당장은 인간이나 동물에게 영향을 주지 않는다는 것이었다. 문제는 농작물이었다. 퀴수 바이러스는 빠른 속도로 중국의 농경지를 파괴했다. 중국은 100여 년 만에 식량 문제에 직면했다. 철저한 검역을 뚫고 퀴수

39 奎宿. 중국 고대 천문학의 28수 별자리 체계 속의 별자리로 일부 영역이 안드로메다자리와 겹친다.

바이러스는 결국 국경과 바다를 건넜고, 전 세계 곡창지대의 면적이 급격하게 축소되면서 120억 인구가 굶주림의 위기에 처했다. 식물들이 죽어 가자 축산업도 붕괴했다. 야생에서는 초식동물들이 먼저 쓰러졌고 육식동물들이 그 뒤를 따랐다. 곡창지대 대신 의지할 만한 식량 공급처는 강과 바다였지만 모든 인류가 의지하기에 어획량은 턱없이 부족했다. 식물들이 죽어 가면서 산소 문제도 대두되었다. 숲이 조금이라도 남아 있는 곳은 출입이 철저히 통제되었고 목재 생산량은 빠르게 줄어들었다.

결국 화학합성으로 식량과 산소를 만들어 낼 수밖에 없었다. 전 세계가 힘을 합쳐 생존 공장을 건설하기로 했다. 하지만 새로운 건축자재를 생산할 여력이 없었다. 그래서 국가 수장들은 우주로 눈을 돌렸다. 우주에서 소비되고 있는 자원과 에너지는 지구에서 사용되는 양과 맞먹었다. 태양계에서 가장 거대한 금속 구조물은 행성 간 우주선이었고, 그 안에는 대용량 원자력 발전기는 물론이고 연구용 농작물 배양 시설과 식품 합성 장비도 있었다. 우주선 자체가 하나의 생존 공장이 될 수 있었다. 사람들은 이제 우주 연구는 인공지능에 맡기고 최소한의 무인 시설을 제외한 나머지 자원을 지구로 회수할 때라고 했다.

"거기까진 다 아는 얘기잖아요. 새로운 얘기를 해

봐요."

세실리아가 말했다.

"변이가 생겼어요."

제롬의 말에 세실리아는 팔짱을 끼고 앞으로 다가갔다. 진지하게 듣겠다는 표현이었다.

"이젠 곤충까지 죽고 있어요. 처음엔 그저 식물이 사라져서 그런 건 줄 알았는데 그게 아니었어요. 퀴수 바이러스가 곤충을 직접 공격하고 있어요. 이제 내일 인간을 공격해도 이상하지 않아요."

"세상에…."

마야가 손으로 입을 가리며 말했다.

"그뿐만이 아니에요. 제대로 이해했는지는 모르겠지만, 퀴수 바이러스도 우리처럼 일단은 아미노산으로 구성되어 있는데… 그게 우선형이라더군요. 그래서 지구에선 퀴수 바이러스가 우리 생각보다 훨씬 더 먼 곳에서 온 것 같다고 해요. 거리가 무슨 상관인지는 잘 모르겠지만."

정말 어마어마하게 먼 곳에서 온 것일 수 있다. 제롬이 머리를 긁적이는 걸 보니 설명이 필요해 보였다. 내가 나섰다.

"아미노산에는 좌선형과 우선형, 두 가지 형태가 있는데 거울에 비춘 것처럼 구조가 서로 대칭을 이뤄요. 둘은 같은 원소로 구성되어 있어서 화학적 성질은 완벽하게 같죠. 실험실에서 아미노산을 만들 때 각 형태가 발생할 확률은 정확히 절반. 하지만 지구의 생명체를 구성하는 아미노산은 예외 없이 좌선형이에요. 그 이유에 대해선 여러 가지 가설이 있지만, 가장 유력한 건 자기장과 먼지의 영향이라는 거예요.
별들이 새로 만들어지는 영역엔 강력한 자기장이 있어서 미세한 먼지 입자들이 특정한 방향으로 정렬돼요. 그래서 빛이 그곳을 통과하면 진동 방향이 시계 방향 또는 반시계 방향으로 고정돼요. 편광이 일어나는 거죠. 그리고 오래전 태양계를 둘러싸고 있던 자기장과 먼지는 빛을 반시계 방향으로 편광시켰고, 편광된 빛은 아미노산이 합성될 때 원소들을 왼쪽으로 비틀었어요. 그래서 태양계의 아미노산들이 좌선형이라는 거죠. 퀴수 바이러스의 아미노산이 우선형이라는 건 그 운석이 태양계 바깥, 수백 광년 이상 떨어진 곳에서 온 거라는 의미예요. 적어도 항성 수십 개는 거쳐 온 거죠."

제롬은 이해는 가지 않지만 납득은 했다는 듯 고개를 끄덕였다. 나는 세실리아를 바라봤다. 세실리아는 생각에 잠긴 듯 입술을 어루만지고 있었다. 아무래도 제롬이 방문한 이유는 단순한 철수 독촉이 아닌 것 같았다. 그리고 예상은 빗나가지 않았다.

"제가 전할 두 번째 명령은 유로파를 떠나기 전에 여러분이 니플헤임에서 발견한 생물을 채집하라는 겁니다. 최대한 많이."

니플헤임은 유로파에서 유일하게 우선형 생태계가 발견된 열수 화산이었다. 그리고 그 생태계의 기원 역시 태양계 바깥에서 온 운석이라는 설이 유력했다.

"채집은 이미 충분히 했어요."

마야가 태블릿 컴퓨터를 보여 주며 말했다. 화면에는 다리 아홉 개 달린 거미처럼 생긴 생물의 사진이 가득했다. 니플헤임의 지배종인 헬[40]족이었다.

제롬은 마야의 태블릿을 보고는 고개를 저으며 말했다.

"아니, 화석 말고. 살아 있는 샘플을 채취하라는 겁니다. 퀴수 바이러스가 우선형 생태계에서 왔을 가능성이 있는 이상, 가장 유사한 생명체인 헬족을 연구해서 치료제를 찾겠다는 거예요. 그러기 위해선 살아 있는 개체가 필요하고."

"잠수는 못 해요. 알잖아요. 자칫 잘못했다간 유로파 생태계가 모조리 사라질 수 있으니까."

세실리아가 말했다.

40 고대 북유럽신화 속 니플헤임의 주민.

“우선순위가 달라졌어요. 유로파를 잃더라도 살아 있는 샘플 채취가 우선입니다. 그리고 철수 뒤에 유로파를 다시 방문할 가능성은 당분간 없으니 최대한 많은 샘플을 확보해야 해요.”

“말도 안 돼. 지금까지 우리가 뭐 때문에 이런 개고생을 하며 연구해 왔는데. 그 연구 대상을 지금 스스로 없애라는 거예요? 살아 있는 샘플을 구하고 싶으면 멸균 잠수정을 새로 개발해서 직접 잠수하라고 지구에 전하세요.”

침착한 억양이었지만, 세실리아는 화가 난 게 분명했다.

“아니, 그럴 시간 없습니다. 이제 그럴 자원도 없고. 지금 이 순간에도 사람들이 고통받고 있어요. 굶어 죽고 있다고요. 한시라도 빨리 퀴수 바이러스를 없애지 않으면 우린 멸망하고 말 겁니다. 아까 말했지만, 우선순위를 생각해요. 지구가 최우선이에요. 우리 모두의 고향을 지켜야죠.”

제롬의 말에 마야가 시선을 바닥으로 떨궜다. 나는 팔로 마야의 허리를 감쌌다. 세실리아는 우리를 잠깐 보고는 말했다.

“사람들을 살려야 한다는 의견에는 동의해요. 퀴수 바이러스를 없애는 게 최우선이라는 것에도. 하지만 전문가로서의 제 공식 의견은 화석으로도 충분하다는 겁니다. 우리가 발견한 건 모두 수백 년 동안 얼음 속에 갇혀 있던 화석이에요. 그리고 화석이라고 부르고는 있지만 사실 냉동된 시체예요. 부패도 변형도 거의 없어요. 체액이나 장기, 세포를 분석할 수 있고 유전자까지 손상 없이 추출할 수 있어요. 그러니까, 별도의 샘플 채취와 그 작업을 위한 잠수는 거절합니다."

세실리아의 말이 끝나자 제롬은 양손으로 얼굴을 덮어 마른세수를 하며 일어섰다. 제롬이 세실리아에게 다가갔다.

"오해는 말아 주세요. 저는 박사님을 존경합니다. 하지만 저는 무슨 일이 있어도 박사님의 생각을 바꿔야 해요. 우리는 살아 있는 샘플을 가져갈 거고 그건 이미 결정 사항입니다. 세실리아 오우양 박사님. 이건 명령이에요."

"여기 박사 아닌 사람은 당신밖에 없으니 그냥 이름으로 부르시죠."

세실리아가 말했다.

"그럼, 세실리아. 미안하지만 침실을 하나 마련해 주세요. 쉬지도 않고 철수 준비를 하다가 명령이 내려와서 급하게 오느라 너무 피곤하군요. 48시간 동안 잠을 못 잤어요. 아무래도 긴 대화가 필요할 거 같은데 그러기 위해선 일단 잠을 자 두어야 할 것 같네요."

제롬이 하품을 했다.

“연구원 침실을 하나 빌려 드리죠. 그런데 그 전에 백신을 주사해야 해요.”

세실리아가 수납장에서 의료 상자를 꺼내며 말했다.

“백신이라고요?”

제롬이 난색을 보였다.

“기지 전체가 외부와 격리되어 있기는 하지만 엄연히 지구 외 생태계를 조사하는 중이니 만약을 위해 특별히 제조된 백신을 맞을 필요가 있어요.”

거짓말이었다. 세실리아가 꺼낸 약물은 비타민 보충제였다.

“저기, 그런데 주사기에 바늘이 있네요?”

제롬이 세실리아가 손에 든 주사기를 보며 말했다.

“무바늘 주사기는 우리가 쓰는 거밖에 없어요. 초대받지 않은 손님을 위한 건 아쉽게도 없네요.”

역시 거짓말이었다. 세실리아는 제롬이 어지간히 마음에 들지 않는 것 같았다.

*

“정말 피곤했나 봐요. 한참 진지한 얘기를 하다가 갑자기 재워 달라니.”

마야가 침대에 앉으며 말했다. 세실리아는 누워서 천장을 올려다보고 있었다. 나는 데운 우유를 조심스럽게 찻잔에 나눠 담았다. 유로파의 중력은 달보다도 약했기 때문에 조심하지 않으면 우유가 잔에서 미끄러져 솟아오르기 일쑤였다.

"누구 방을 줬어요? 제 방은 바닥 침대 할 것 없이 지금 화석 샘플로 가득할 텐데."

마야가 세실리아에게 물었다. 세실리아는 여전히 천장을 바라보며 대답했다.

"마야 방을 보여 줬더니 기겁을 하더라. 우주 괴물 영화를 보는 거 같다면서. 그래서 수미의 방을 줬어."
"제 방도 그리 녹록지는 않을 텐데."

나는 찻잔을 마야에게 건네며 말했다. 내 방엔 유로파 생물들의 스케치가 가득했고 그중엔 해부도도 있었다. 그나마 실물보다는 나을지도 모르겠다. 내 방과 마야의 방은 양쪽 모두 작업실로 바뀐 지 오래되어 침실이었다는 걸 겨우 알아볼 수 있는 정도였다.

"세실리아, 유산균 넣을까요?"
"아니, 그냥 줘."

가끔 저중력 환경에서는 소화가 잘 안된다는 사람들이 있었다. 체내의 세균들이 작은 중력에 적응하지 못하기 때문이었다. 마야는 괜찮았지만, 나와 세실리아는 매일 유전자를 조작한 유산균을 먹어야 했다.

"그나저나 어떻게 할 거예요? 아마 일어나자마자 샘플 채취하라며 난리를 칠 거 같은데."

"3일 뒤면 출발해야 해. 그때까지 버티면 그놈도 어쩔 수 없겠지."

"정말 괜찮겠어요? 수백 년 전에 죽은 것들보다는 살아 있는 샘플이 훨씬 도움이 될 거라는 말은 사실이잖아요. 멸균 잠수정이 완벽하지 못하다는 건 우리 시설이 아니라 엔셀라두스 얘기였고, 실제론 시설 문제보다는 거기 연구원들의 관리 문제였을 수도 있고. 인류의 존속이 걸린 문제라면, 어느 정도 리스크를 감수할 가치가 있지 않을까요?"

세실리아의 머리맡에 앉아 찻잔을 건네며 물었다. 하지만 세실리아는 찻잔을 받기만 하고 아무 말도 하지 않았다. 몸을 일으키지도 않았다. 괜히 내 욕심만 드러낸 것 같아 부끄러워졌다. 화제를 바꾸고 싶었다.

"벌써 떠나야 한다니. 믿기 힘들어요. 제가 올 때만 해도 유로파 기지를 하나 더 만들 예정이었는데. 이름이 클라크 기지였죠?"

세실리아는 눈을 감고 대답했다.

"클라크 기지 건설이 취소되고 우릴 대신할 인공

지능이 그 이름을 가져갔지. 어쩌면 우리가 태양계의 마지막 현장 과학자일지도 몰라."

"클라크는 우리가 떠나는 날부터 작동하나요?"

"응. 아마도. 인사할 시간은 있을 거야."

세실리아의 말끝에 씁쓸함이 묻어났다. 마야가 찻잔을 침대 밑에 내려놓으며 물었다.

"클라크가 우리 일을 마무리할 수 있을까요? 얼음을 파내고 화석을 해부하고 성분을 분석하는 일을. 니다벨리르의 화석들은 특히나 더 연약한데."

"우리보다 더 잘 해낼 거야. 그러기 위해서 만들어졌으니까. 통 속의 뇌라는 점만 빼면 우리보다 열등할 게 없어."

"뭐, 어떻게 되든 우린 세실리아의 판단을 따를 거예요. 그게 제롬을 얼음 속에 묻어 버리고 클라크의 전자뇌를 태워 버리는 거라고 해도."

나는 그렇게 말하며 유산균 가루를 찻잔에 쏟아 넣었다. 어느새 질긴 피막이 생겼는지 유산균 가루가 우유 표면 위에 원뿔 모양으로 쌓였다. 가루 더미는 천천히 피막을 끌어당기며 가라앉았다. 피막은 유산균 가루를 완전히 감싸고는 찻잔 바닥으로 가라앉았다.

그때 머릿속에 뭔가 떠올랐다. 숟가락으로 찻잔 바닥을 뒤져 피막에 싸인 유산균 가루를 건져 올렸다. 피막을 찢자 아직 마른 상태의 가루가 쏟아졌다.

"세실리아, 마야. 방법이 있을 거 같아요. 오염 걱정 없이 잠수정을 내릴 방법."

내 말을 들은 세실리아가 몸을 벌떡 일으켰다. 세실리아가 손에 든 잔에 담겨 있던 우유가 높은 포물선을 그리며 허공으로 날아올랐다.

세실리아 오우양

자기폭풍이 심했다. 목성계에서야 언제나 자기장 교란이 있었지만, 이번엔 달랐다. 자칫 통신 장비 자체가 죽을 수도 있었다. 어차피 돌아가는 데 2년이 걸리는데도 굳이 며칠 더 일찍 돌아가게 하려는 이유 중 하나가 이번 자기폭풍일지도 모르겠다. 유로파를 맴돌던 위성 다섯 대 중 네 대의 연결이 끊어졌다. 그중 세 대는 통신위성이었기 때문에 우리는 지금 가니메데 궤도에 있는 행성 간 우주선과 연락을 할 수도 없다. 가니메데 본부도 그래서 제롬을 직접 보낸 거겠지.

언젠가 유로파를 떠나게 되리라는 건 알고 있었다. 이 경이로운 세계를 모두 조사하는 데는 수십 년

이 걸릴 거고 십수 년 동안 우주방사선에 노출된 내 몸은 고장 나기 직전이었다. 유로파 탐사는 내 마지막 일이 될 텐데, 내 역할은 전체 미션의 기반을 다지는 것에 지나지 않는다. 아니, 그럴 예정이었다.

이렇게 급하게 돌아가게 될 줄은 몰랐다.

그것도 크나큰 결실을 눈앞에 두고.

니다벨리르 열수구에 사는 난쟁이[41]들의 유전자가 우리의 유전자와 유사한 특성을 가지면서도 완벽한 삼중나선을 그리고 있다는 걸 알았을 때 나는 희망을 품었다. 수미도 마야도 같은 희망을 떠올렸다. 실현 불가능한 텅 빈 기대라는 걸 알았지만 우리에겐 그걸로 충분했다.

하지만 지구는 내 발목을 붙잡고 놓아줄 생각이 없었다.

*

"타협점을 찾게 되어 기뻐요, 세실리아."

제롬이 말했다.

"수미의 아이디어예요. 당신한테 방도 빌려줬으니 돌아갈 때 특실이나 준비해 줘요."

41 고대 북유럽신화 속 니다벨리르의 주민들인 드베르그는 난쟁이라고도 불린다.

내 말에 제롬은 수미를 슬쩍 보더니 해부도를 떠올린 듯 몸을 부르르 떨었다.

"그래서, 준비는 바로 가능한가요?"
"당신이 자는 동안 준비의 준비까지는 했죠."

내가 눈짓을 보내자 수미가 커다란 모니터에 잠수정 준비실의 모습을 비췄다.

"얼마나 이해할 수 있을지는 모르겠지만 설명을 좀 부탁드리죠."
"지금 저 화면 속에 보이는 방은 여기에서 10킬로미터 아래에 있어요. 저기서부터는 얼음층이 조금씩 녹으면서 셔벗 상태가 되기 때문에 건축물을 지을 수가 없어요. 그래서 잠수는 저기서부터 시작해요. 마야, 구름충 준비 가능해?"
"언제든지 가능해요."

마야는 엄지손가락을 치켜세우며 대답했다.

"구름충이 뭐죠? 그건 처음 듣는데."

제롬이 물었다. 프로젝트 매니저라면서 아무것도 모르는 것 같았다.

"유로파의 바다 전체에 퍼져 있는 미생물이에요. 천천히 몰려다니는 모습이 지구의 구름을 닮아서 구름충이라고 불러요."
"유로파의 생물들은 열수구에만 의지해서 살아가는 줄 알았는데 아니군요."

"구름충들은 열수구와는 상관없어요. 대신 자기장을 먹고 살죠."

"자기장을 먹어요?"

"구름충 체내에는 나노미터 크기의 금속섬유로 된 코일이 들어 있어요. 유로파를 둘러싼 목성 자기권이 흔들릴 때마다 코일에 유도전류가 흐르고 구름충은 그걸 에너지원으로 삼아서 살아가는 거죠. 어찌 보면 태양계에서 가장 이색적인 생물이에요."

"그럼 열수구에 있는 녀석들은 구름충을 먹이로 삼나요?"

"아니, 그건 아니고. 구름충들은 수압에 민감해서 얼음층 바로 아래에서만 살아요. 물보다 밀도가 낮아서 죽어서도 가라앉지 않고요. 걔들 입장에선 아래에 있는 바다가 하늘이고 위에 있는 얼음층이 땅인 거나 마찬가지죠."

제롬은 흥미롭다는 듯 턱을 쓰다듬었다. 나는 설명을 이어 나갔다.

"그리고 이 구름충들이 흰개미 못지않은 건축가들이에요. 애들이 한 번에 수만 마리씩 모이면 주변의 열을 빼앗으면서 일시적으로 새로운 얼음층을 만들어요. 그래서 구름충들이 지나간 곳을 보면 마치 예술가가 놀면서 만든 것 같은 얼음 구조물들이 생겨요."

"잠수정 모두 준비됐습니다."

수미가 말했다. 화면에 여덟 대의 작고 동그란 잠수정이 나타났다.

"왜 여덟 대나 준비한 거죠? 샘플은 니플헤임에서만 채집하면 되는데."

제롬이 물었다. 나는 당연한 걸 묻다니 피곤하다는 표정을 지으며 대답했다.

"기왕 잠수정을 내려보낼 거면 다른 곳도 봐야죠. 마야, 구름층 풀고, 수미, 잠수정 내려."

잠수정 선착장의 바닥이 열리면서 셔벗 상태의 새하얀 얼음층이 드러났다. 마치 눈이 쌓인 것처럼 보였다. 잠수정은 그 위로 천천히 내려갔다.

"온도 하강 중. 얼음 막이 생기기 시작했어요. 이제 접촉해도 좋습니다."

마야의 말에 맞춰 잠수정이 바닥에 닿았다. 잠수정은 조금씩 새하얀 셔벗 바닥 속으로 모습을 감췄다.

"저기, 지금 무슨 일이 일어나고 있는지 설명 좀 해 주시죠."

제롬이 손가락을 화면을 향해 휘저으며 물었다. 내가 귀찮다는 듯 입을 다물고 있자 마야가 대신 대답했다.

"구름층을 이용해서 잠수정 표면을 얼음으로 덮

으면서 들어가는 거예요. 구름충은 순전히 유로파의 물질로만 얼음을 만드니까 그걸로 잠수정을 빈틈없이 감싸 버리는 거죠. 그럼 바다로 내려가도 잠수정이 해수와 직접 닿을 일이 없으니 오염 걱정이 없어져요."

"저 구름충들을 훈련시킨 건가요? 미생물들인데?"

"구름충 안에 금속섬유가 있다고 했잖아요. 자기장을 섬세하게 조절하기만 하면 우리 뜻대로 움직일 수 있어요."

"살아 있는 미생물로 만든 3D 프린터라는 건가요? 재료는 얼음이고."

"비슷해요."

사실 우리도 이렇게 순조롭게 해결될 줄은 몰랐다. 수미는 고작 세 시간 만에 3D 프린터에 사용되는 나노봇[42]의 알고리즘을 뜯어고쳐 구름충을 움직이게 했다. 만들어지는 얼음의 투명도까지 조절할 수 있어서 카메라 렌즈를 덮은 얼음은 눈에 보이지 않을 만큼 투명했다. 수미의 아이디어는 정말 기발했다.

"잠수정 여덟 대 모두 코팅 끝났습니다. 얼음 프로펠러도 문제없이 움직이네요. 바로 바다까지 하강 가능합니다."

수미가 말했다. 나는 수미의 양어깨에 손을 얹어

42 수 나노미터 크기의 로봇.

격려했다. 옷이 내려가지 않도록 주의하면서.

"잘했어."

"그런데 얼음은 충분히 튼튼한가요? 프로펠러가 부러지거나 하면…"

믿음이 부족한 자 같으니. 수미는 얼음의 강도에 대해서도 생각을 해 뒀다. 강도뿐만이 아니라 수압 때문에 얼음이 녹을 수 있다는 것까지 고려해 얼음 속에 구름층의 금속섬유를 섞어 얼음이 높은 압력을 오래 견딜 수 있도록 만들었다. 유로파에선 수심 100킬로미터에서 받는 수압도 챌린저 딥[43]의 수압보다 조금 높은 수준이어서 사실 압력은 큰 문제도 아니었다.

"수미, 조정간을 잡아."

나는 수미가 이 순간을 얼마나 기다려 왔는지 알고 있었다. 수미는 내 말을 듣자마자 자리에서 일어나 수면 캡슐처럼 생긴 조종석에 들어갔다. 신경안정제가 든 주스를 한 모금 마시고는 MTB[44] 헬멧을 머리에 쓴 다음 끈을 꽉 조였다. 잠시 뒤 수미의 몸에서 힘이 빠져나가자 MTB 헬멧에 전원이 켜졌다.

「접속 완료.」

수미의 목소리가 스피커에서 흘러나왔다. 헬멧

43 지구의 바다에서 가장 깊은 곳. 수심은 약 11킬로미터.

44 Machine To Brain technology. 뇌와 기계를 직접 연결하는 기술을 이르는 말.

아래로 드러난 수미의 입술은 움직이지 않았다. 당분간 수미의 몸은 깊이 잠들어 있을 것이다. 대신 수미의 뇌가 기지의 메인 컴퓨터와 하나가 되었고, 잠수정 하나하나는 수미의 손과 발이자 눈과 귀가 되었다.

「세상에, 눈이 여덟 개가 된 기분이란 게 이런 거군요. 아직 컴컴해서 아무것도 안 보이지만. 추워요. 너무 추운데요. 얼음으로 뒤덮여서 그런가.」

수미가 흥분하며 말했다.

"온도 감도를 좀 내릴게요."

마야가 키보드를 몇 번 두드리자 수미가 반응했다.

「아, 좋아. 딱 기분 좋은 온도야. 그럼 움직일게요. 내려가 볼까요.」

화면에 나타나는 잠수정의 위치가 점점 내려갔다.

「문제없이 움직이네요! 이제 조명을 켜고, 여러분께 제 눈을 공유해 드리죠.」

화면에 여덟 개의 카메라 영상이 나타났다. 회색 눈 속에 묻혀 있는 듯한 화면만 보였다.

「가시광, 적외선, 자외선 모두 문제없어요. 기계팔도 제대로 움직이고. 지금부터 본격적으로 내려가겠습니다.」

잠수정은 빠르게 하강했다. 10분 정도 지나자 카

메라가 담는 풍경이 조금씩 달라지기 시작했다. 회색이 푸르게 물들더니 어느새 맑은 바다가 드러났다.

「유로파의 바다에 오신 걸 환영합니다. 세상에, 아름다워.」

잠수정의 강력한 조명이 퍼져 나가면서 지금까지 본 적 없는 푸른 세상이 나타났다. 화가가 봤다면 화면 속에서 색을 뽑고 싶어 안달했을 듯한 넓고 깊은 색깔들이었다.

「얼음층 바로 아래에 공기층이 있어요. 바닥에서 기포가 조금씩 올라오네요.」

잠수정의 카메라가 위를 향하자 얼음 천장 아래에 드문드문 맺혀 있는 공기 방울이 보였다. 잠수정이 움직일 때마다 물결이 생기면서 거울 같은 공기층이 얼음 지형 사이로 흐르고 움직였다. 마치 하늘을 흐르는 수은으로 된 강처럼 보였다.

「아스가르드에서 오는 기포 같네요.」
"조금 서두르자. 아스가르드는 이 위치에서 곧장 내려가면 나오겠지만, 다른 곳으로 가려면 몇백 킬로미터를 이동해야 해."
"니플헤임, 니플헤임이 가장 중요해요."

제롬이 고개를 내밀며 말했다.

"알아요. 그러니까 입 좀 다물어요."

사실 제롬은 그리 말이 많지 않았다. 조금 무례했다는 생각이 들었지만 사과하지는 않았다.

*

아스가르드. 거대한 산꼭대기에서 시커먼 열수가 쉬지 않고 뿜어져 나왔다. 뜨거운 물줄기는 위로 올라갈수록 조금씩 힘을 잃더니 냉수층 속에서 열을 빼앗긴 채로 아스가르드의 검은 하늘을 만들었다.

「검은 구름 속에 갇힌 세계였군요.」

수미는 계속 하강하면서 말했다.

「열수구 바로 아래는 좀 불안정해 보여요. 열수 유량이 달라질 때마다 조금씩 무너져 내려요. 아스족을 보려면 좀 더 내려가야 할 거 같아요. 조명을 아까보다 밝게 해야겠어요. 이제 더 잘 보이네요. 경사면을 따라서 내려가고 있어요. 다들 보이나요?」

"보여. 다른 열원은 없어?"

「적외선으로 살펴봤지만, 아스가르드 꼭대기 말고는 없는 거 같아요. 아, 아래쪽에 뭔가 보여요. 오, 맙소사. 조명 밝기를 최대로 높일게요. 보이나요? 숲이에요! 동물인지 식물인지 거대한 단세포생물인지는 모르겠지만 한데 모여서 숲을 이룬 것 같아 보여요. 가을 숲처럼 알록달록해요. 여기가 아스족이 사는 세상이에요!」

숲의 높이는 1미터 정도였다. 숲의 구성원들은 빽빽하게 모여 있었다.

「그런데 아스족이 보이지는 않네요. 숲 아래에 숨어 있는 걸까요? 숲에 팔을 집어넣어 볼게요.」

잠수정의 기계 팔이 숲을 향해 천천히 움직였다. 기계 팔이 나뭇가지처럼 보이는 곳에 닿자마자 숲이 투명해지면서 바닥이 보였다. 아스족이 그곳에 숨어 있었다. 하지만 우리가 아는 것보다 몸이 좀 더 작고 가늘었다. 그리고 금속 피막으로 뒤덮여 있었다.

「한 녀석이 접근하고 있어요.」

금빛 옷을 입은 아스족 하나가 숲 위로 솟아올랐다. 그리고 기계 팔에 닿자마자 놀란 듯 몸을 비틀었다.

"얼음을 처음 접한 거야. 일부러 만지지는 마. 동상에 걸릴지도 몰라."

「옷을 입고 있는 거 같아요. 어떻게 만든 걸까요?」

"글쎄…."

「다른 생물들도 있어요. 다들 바닥에 붙어 있어요. 벌레 같기도 하고 해파리 같기도 하고. 자유롭게 떠다닐 수 있는 건 아스족뿐인 거 같아요. 아마 그래서 가장 발달할 수 있었나 봐요. 아, 잠깐, 아까 그 녀석이 잠수정에 들러붙었어요. 뭔가 찌릿찌릿한데.」

"신기하네요. 전류를 흘려 보내고 있어요."

마야가 계기판을 보며 설명했다.

「따끔해지기 시작했어.」
"감도를 낮출게요."

마야의 손가락이 움직이기도 전에 아스가르드 잠수정의 화면이 새하얗게 변했다. 수미의 비명이 들렸다. 스피커가 아니라 조용히 잠들어 있던 수미의 입술 사이에서.

"무슨 일이야?"
"공격받은 거 같아요. 믿기 힘든데… 아스족이 전기로 잠수정을 거의 태워 버릴 뻔했어요. 수미, 제 목소리 들려요? 얘기 좀 해 봐요."

화면 구석에 표시된 수미의 심박수가 180을 넘었다. 나는 곧장 조종석에 잠들어 있는 수미의 몸을 살폈다. 가슴 위에 손을 얹었다. 심장이 거칠게 뛰고 있었다. 얼굴에 귀를 대고 호흡을 확인했다. 숨소리가 들렸다.

곧 스피커에서 수미의 목소리가 흘러나왔다.

「아, 괜찮아요. 아까 그 녀석이 잠수정을 공격한 거 같아요. 망할, 머리가 아프네. 뇌랑 직접 연결되어 있어서 충격이 좀 컸나 봐요. 나중에 진찰이라도 받아 봐야겠어.」
"괜찮겠어? 교대해도 돼."

「아니, 좀 놀랐을 뿐이에요. 계속하죠.」
"아, 저기 아스족이 무리 지어 다가오고 있어요."

화면을 보니 다양한 색깔의 금속으로 몸을 치장한 아스족이 잠수정을 향해 모여들고 있었다.

"여긴 너무 위험한 거 같아. 잠수정 상태는 어때? 움직일 수 있어?"
「네, 움직여요. 절 어지간히 싫어하나 봐요. 자기 조상들을 해부한 걸 아는 걸까요?」
"그럴지도. 아스가르드 탐색은 여기까지 하고 올라와. 채집은 할 필요 없어. 마야, 자료 상태는 어때?"
"모든 센서에서 문제없이 자료 수신됐습니다. 수미, 고생했어요."
「그럼 아스가르드에서는 철수하겠습니다.」

아스가르드 잠수정이 상승했다. 가을 숲이 점점 멀어졌다. 다가오던 아스족은 잠수정의 속도를 따라오지 못했다. 곧 검은 구름층을 다시 만났고 잠수정은 아스가르드를 완전히 벗어났다.

*

알프헤임과 헬헤임, 무스펠헤임을 향해 출발한 세 대의 잠수정이 모두 비슷한 시각 목적지에 도착했지만, 그곳엔 어떤 생명체도 없었다. 그저 조용히 열수를 뿜어내는 구멍이 있을 뿐이었다.

기계 팔이 알프헤임의 바닥을 파헤치자 반짝거리는 알갱이들이 떠올랐다.

「금속 미립자 같은데요? 어쩌면 유로파 해저 전체에 퍼져 있을지도 모르겠어요. 어디서 온 건지는 모르겠지만. 아, 잠깐. 뭔가 신기한 게 나왔어요. 와우, 이거 유리 같은데? 1미터쯤 아래에서 불투명한 유리 결정이 나왔어요. 이물질이 많이 섞이긴 했지만 유리가 분명해요. 그리고… 좀 더 아래에는… 세상에.」

기계 팔이 건져 올린 건 매미 유충의 껍데기 같은 외골격이었다. 우리가 지금까지 얼음 속에서 발견해 온 알프헤임 생물의 것이었다.

"마야, 알프헤임의 표면 퇴적 속도 알 수 있겠어?"

마야가 자료를 잠시 뒤지더니 대답했다.

"오차가 좀 클 수 있지만… 지금 퇴적되는 속도로 1미터나 쌓이려면 2만 년에서 3만 년은 걸릴 거 같아요."

"그럼 2~3만 년 전에 알프헤임 생태계에 어떤 재앙이 있었다는 거군. 그리고 아마도…"

기계 팔이 헬헤임과 무스펠헤임의 바닥 깊은 곳에서 역시 유리 조각과 생물의 유해를 건져 올렸다. 수미가 내 말을 마무리 지었다.

「같은 시기에 다른 두 곳에서도 생태계가 사라졌군요.」

"조금 전에 열수권 바깥에서 바닥을 살폈을 땐 이런 게 보이지 않았어요. 유로파 전체에 급격한 환경 변화가 있었던 게 아니라, 열수권에만 영향을 미친 무언가가 있었다는 거예요. 아스가르드는 살아남았고, 이 세 곳은 살아남지 못했고."

마야가 말했다. 지각변동이 일어나서 모든 열수구가 대폭발이라도 일으킨 걸까? 하지만 그렇다고 하기엔 폭발을 증명하는 지질학적 흔적이 보이지 않았다. 미세한 금속 입자와 유리 결정은 어디서 나온 걸까?

*

바나헤임 잠수정이 목적지에 도착했다. 다양하지만 원시적인 환형동물들이 바닥을 돌아다니고 있었다. 우리가 얼음층에서 발견했던 불가사리 같은 생물들과는 전혀 다른 종류였다. 동물들은 비교적 온순했기 때문에 수미는 안전하게 바닥을 조사할 수 있었다.

「여기 있었군요. 단단하게 굳어 버린 불가사리가.」

수미가 말했다.

"여기도 마찬가지예요. 2~3만 년 전에 불가사리

들이 사라지고 저 환형동물들이 새롭게 생겨난 거 같아요."

마야가 말했다.

나는 가만히 지켜봤다.

"니플헤임은 아직 멀었나요?"

제롬이 물었다. 아무도 대답하지 않았다. 니플헤임은 가장 멀었다.

*

니다벨리르. 드베르그족의 세상. 우리는 드베르그족을 난쟁이라고 불렀다. 발달 정도에 비해 개체 하나의 크기가 작았다. 얼음 속에서 발견한 가장 큰 개체가 어른 엄지손가락보다 조금 큰 정도였다. 꼬리 없는 도마뱀을 닮은 난쟁이들의 몸속엔 삼중나선 유전자로 이루어진 세 가닥의 염색체가 흐르고 있었다.

「생각보다 굉장히 많은 종이 있군요. 아마 다른 종들은 난쟁이들보다 몸의 밀도가 높아서 잘 떠오르질 않았나 봐요.」

수미는 바닥 가까운 곳까지 잠수정을 내렸다. 모래가 잔뜩 쌓인 바닥이 보였다. 조명 각을 넓히자 니다벨리르의 생태계가 한눈에 들어왔다. 수십 센티미터 높이의 식물형 생물들이 모랫바닥 위로 드문드문 솟아 있었다. 그 주변을 맴돌던 새빨간 물방개 같은 생물들이 식물형 생물 표면에 붙었다가 떨어지기를 반복했다. 마치 나무에 사과가 열렸다 떨어지는 것처럼 보였다.

난쟁이들은 바닥에 모래성 같은 구조물을 만들어 그 속에서 살아가고 있었다. 건축물은 구조가 매우 복잡하면서도 튼튼해 보였다. 그들은 우리 생각보다 높은 지능을 가지고 있었다.

「세실리아, 저거 보여요?」

수미가 말했다. 로봇 팔이 가리킨 곳에는 나무처럼 보이는 구조물이 있었고 그 사이에 세 마리의 난쟁이가 숨어 있었다. 확대해서 보니 난쟁이들은 몸을 결합한 상태였다.

"이거, 교미 중인 걸까요?"

마야가 물었다. 나는 고개를 끄덕였다. 니다벨리르 생태계에는 세 종류의 성이 있는 게 분명했다. 세 개의 염색체 가닥은 서로 다른 세 개의 개체에서 하나씩 온 것이었다.[45] 짐작은 하고 있었지만 이제 확신을 가질 수 있었다.

서로 몸을 결합한 세 마리의 난쟁이들을 지켜봤

45 지구 생물은 부모에게서 염색체를 한 가닥씩 물려받아 두 가닥으로 된 염색체를 가지고 있다.

다. 몸의 색깔이 빠르게 변하고 있었다. 춤추는 무지개 같았다. 어떤 반응일까? 단순한 생리현상일까? 아니면 감정이 드러나는 걸까? 그렇다면 어떤 감정일까? 저들도 흥분을 느낄까? 새끼를 낳는다면 어느 쪽이 낳을까?

「채집할까요?」

수미가 물었다. 잠시 고민했지만 나는 고개를 저으며 말했다.

"아니, 그냥 둬."
「세실리아, 하지만…」
"괜찮아."
「… 알았어요.」

마야가 나를 응시했다. 잠시 눈이 마주쳤지만 나는 금방 고개를 돌렸다.

"이번에도 바닥을 살펴봐. 난쟁이들 방해하진 말고. 마야, 퇴적층 연령 분석해 줘."

결과는 예상과 다르지 않았다. 2~3만 년 전에 어떤 일이 있었다. 하지만 다행히도, 난쟁이들은 살아남았다. 나는 묘한 기쁨을 느꼈다.

*

니플헤임과 요툰헤임은 서로 가까웠다. 그래서

두 잠수정은 요툰헤임까지 같이 움직였다. 요툰헤임에서 우리는 예상치 못한 모습을 목격했다.

「최근에 무슨 일이 있었던 거 같군요.」

수미가 말했다.

"퇴적층이 너무 얕아서 정확한 연대는 알기 어려워요. 수백 년 전일 수도 있고 수천 년 전일 수도 있어요."

마야가 말했다.

요툰헤임의 생물들은 모두 새카맣게 변해 단단하게 굳어 있었다. 마치 전염병이라도 퍼진 것처럼.

"이런 거, 본 적 있어요."

조용히 입을 다물고 있던 제롬이 말했다.

"퀴수 바이러스 때문에 죽은 곤충들의 모습과 비슷하군요. 세실리아, 요툰헤임에 대해 설명해 주겠어요?"

갑자기 진지해진 제롬이 낯설었지만 나는 내색하지 않고 설명했다.

"니플헤임과 요툰헤임 사이의 거리는 50킬로미터 정도밖에 안 돼요. 둘 다 프윌 크레이터[46] 밑에 있죠. 프윌 크레이터는 500만 년쯤 전에 얼음 표

46 유로파 남반구에 있는 운석구.

면에 운석이 떨어지면서 생긴 건데, 아마 운석은 얼음층을 뚫고 들어가 니플헤임에 가라앉았을 거예요. 그 운석 안에 들어 있던 우선형 아미노산이 지금의 니플헤임 생태계를 만든 것으로 보이고."
"니플헤임 생태계를 만든 운석과 지구에 떨어진 운석이 같은 곳에서 온 것 같군요."

제롬의 목소리엔 확신이 가득했다. 마야가 바로 반박했다.

"확률적으로 불가능해요. 태양계 바깥에서 운석이 왔다는 것만 해도 기적에 가까운데."

아쉽게도 이번엔 내가 마야의 말을 반박해야 했다.

"아니, 가능해. 어쨌거나 태양계 바깥에서 날아온 천체가 있다는 건 사실이니까. 그 천체가 목성에 다가갔다면 조석력 때문에 여러 개로 조각났을 텐데, 그 파편 중 하나가 500만 년 전에 유로파에 먼저 떨어져 니플헤임을 만들었고, 다른 파편이 500만 년 동안 태양계를 떠돌다가 최근에 지구에 떨어졌을지도 몰라."
"그리고 니플헤임의 생물이 어떻게든 요툰헤임으로 넘어가서 그곳의 생물들을 전부 괴멸시켜 버린 거겠죠."

제롬이 마무리 지었다. 대충 결론이 난 것 같았다.

「니플헤임에 도착했어요.」

조그만 식물형 생물들 사이로 아홉 개의 다리를 우아하게 움직이는 거대한 거미들이 모습을 드러냈다.

"퀴수 바이러스가 인류를 몰살시킨다면 지구도 저런 거미들의 세상이 될지도 모르겠군요."

제롬이 말했다.

"그럴 일은 없을 거예요. 그래서도 안 되고. 수미, 채집할 수 있겠어?"
「네, 바로 채집하죠.」

잠수정에서 얼음으로 된 거대한 튜브가 나와서는 진공청소기처럼 주변의 생물들을 빨아들였다.

"우린 지금 인류를 파멸시킬지도 모를 생물들을 산 채로 잡은 거야. 제대로 격리해야 해. 마야, 자료 백업하고 격리실 준비해 줘. 수미, 충분히 채집했으면 이제 돌아와. 볼일은 다 끝났어. 불만 없죠, 제롬?"

제롬은 고개만 끄덕였다. 왠지 눈시울을 붉힌 것처럼 보였다. 이상한 남자야.

「그럼 돌아갑니다.」

수미가 말했다.

마야 벨 버넬

지구로 돌아갈 수는 없다. 나는 그저 지구로 갈 수 있을 뿐이다.

지구의 땅을 밟은 적도, 공기를 마신 적도, 지구를 두 눈으로 직접 본 적도 없다. 행성 간 우주선에서 태어나자마자 방사선 때문에 다섯 살이 될 때까지 민감 생물 보호 구역에 격리되어 있었다. 이후로도 두 어머니는 지구로 돌아갈 생각이 없었다. 두 분이 은퇴하고 지구행을 준비하실 때, 나는 가니메데에서 목성학으로 학위를 마치고 유로파로 갈 준비를 하고 있었다.

그래서 철수 얘기를 듣고 기대와 걱정 사이에서

복잡한 기분이 들었다. 우주 공간에서의 삶과 지구에서의 삶은 매우 다르다. 지구 사회는 훨씬 보수적이며 해야 할 것과 하지 말아야 할 것, 생각해야 할 것과 꿈도 꾸지 말아야 할 것이 많다고 들었다. 내가 받아들여질 수 있을까. 우리가 받아들여질 수 있을까. 세실리아와 수미는 어떻게 할 생각일까.

어제까지만 해도 천천히 생각하자고 스스로를 달래며 얼음과 화석을 캐고 있었다. 그로부터 겨우 스무 시간이 지났을 뿐인데 우리는 예정에도 없던 여덟 세계의 탐사를 마쳤고, 지구의 인류를 구할 우선형 생물의 샘플을 채취했다. 격리실을 준비하고 자료와 화석 샘플들을 옮긴 다음, 이륙선의 경로만 결정하면 곧장 가니메데 궤도에 있는 행성 간 우주선으로 갈 수 있다. 그곳에서 2년 정도 잠들었다가 일어나면 이미 지구 궤도에 도착해 있을 것이다. 체감상으로는 120시간이 채 걸리지 않는다. 만난 적도 없는 지구가 나를 붙잡아 당기고 있는 것만 같다.

"자기장 교란이 심해지고 있군요. 서두릅시다."

제롬이 말했다. 72시간 전부터 강력한 자기폭풍이 목성계를 흔들고 있었다. 드문 일이었다. 태양 표면에서는 플레어[47]도 코로나 질량 방출[48]도 관측되지 않았다. 원인을 알 수 없었다.

47 태양 표면 부근에서 일어나는 폭발 현상.
48 태양 대기층의 일부인 코로나에서 일어나는 폭발 현상.

나는 잠수정들의 상태를 확인한 뒤 말했다.

"아스가르드, 알프헤임, 헬헤임, 무스펠헤임 잠수정은 얼음층 바로 아래까지 왔고 상승 준비가 끝났어요. 바나헤임 잠수정은 10분 뒤, 니다벨리르 잠수정은 15분 뒤에 도착할 거 같네요. 니플헤임이랑 요툰헤임 잠수정이 오려면 앞으로 30분은 걸릴 거 같아요."

「마야, 지금 도착해 있는 잠수정 시야가 이상해.」

수미의 입이 아니라 벽에 있는 스피커에서 흘러나오는 수미의 목소리. 익숙해지지 않는다. 카메라 영상에 담긴 전방은 은빛 구름 속에 갇힌 것처럼 보였다. 해상도를 높여 봤지만, 여전히 화면이 흐려진 원인을 알 수 없었다.

"구름충이야."

세실리아가 말했다. 세실리아는 미간을 찌푸리며 화면을 응시했다.

"구름충이 잠수정을 둘러싸고 있어. 마야, 주변에 구름충이 얼마나 있지?"

나는 태블릿 컴퓨터를 두드리며 주변의 전류량과 자기장을 계산했다. 믿기 힘든 숫자가 나왔다.

"추정치가 10^{16}을 넘었어요. 각자가 따로 움직이는 게 아니라 하나의 덩어리처럼 움직이고 있어서 정확히 어떤 상황인지는 모르겠어요."

"잠수정 준비실 비춰 봐."

잠수정 준비실의 모습은 우리가 기억하던 것과는 달랐다. 마치 은으로 된 마그마가 분출하는 듯이 구름층들이 빛나는 강이 되어 솟아올라 준비실 내부 공간을 채우고 있었다.

"자기폭풍이랑 관련이 있을까요?"

나는 그렇게 물으면서 목성의 자기권 자료를 모니터에 표출했다. 숫자가 요동치고 있었다. 지금까지 본 적 없는 폭으로.

수미의 목소리가 말했다.

「어, 여러분. 기분이 좀 이상해요. 지금 달리는 잠수정들이 컴컴한 터널을 통과하고 있는 것 같아요. 저 끝에 빛이 보이는 게… 이거 꼭 임사체험 같네. 여기서 죽진 않겠죠?」

"구름층이 만든 유도 자기장이 잠수정 내부의 인공 뇌에 영향을 미치고 있어요. 그게 수미에게 그대로 전달되고 있고."

위험한 걸까? 아까 아스족의 전기 공격에 수미의 몸은 비명을 질렀다. 위험하다.

"세실리아, 수미랑 잠수정 간의 접속을 끊는 게 좋을 거 같아요."

「잠깐, 바나헤임 잠수정 시야를 보세요!」

수미의 말에 우리 모두의 시선이 바나헤임 카메라 영상을 향했다.

「놀라워.」

수미가 감탄사를 뱉었다.

바나헤임 잠수정은 얼음층 15미터 아래에서 위를 올려다보고 있었다. 출발할 때만 해도 얼음 천장이 있던 곳이 이제는 출렁이는 은빛 바다로 덮여 있었다. 반짝이는 구름층들이 모여 만든 것이었다. 머리 위의 은색 바다라니. 몽환적이었다. 먼저 도착했던 잠수정들은 저 바닷속에 잠긴 것 같았다.

"방금 봤어?"

세실리아가 말했다. 나는 보지 못했다.

「뭔가 번쩍였죠?」

수미도 봤다.

"불길하군요."

제롬도 봤나 보다.

나는 화면을 응시했다. 다들 뭘 본 걸까.

번쩍였다. 순식간에 사라졌지만 무언가 번쩍였다.

「이거 꼭… 그거 같죠?」
"하지만 그런 일이 가능할까?"

수미와 세실리아는 짐작 가는 게 있는 것 같았다. 뭘까.

"마치 구름 속에서 번개가 치는 것 같군요."

설명 고마워요, 제롬. 번개라. 번개라니. 번개라고?

"저긴 바닷속이잖아요. 번개라니 말도 안 돼."

나도 모르게 강하게 부정해 버렸다.

"목성의 번개를 보고 나면 뭐든 가능해 보이죠."

제롬이 말했다. 내가 제롬보다도 상황을 더 받아들이지 못하고 있다니. 내겐 오히려 목성의 번개가 진짜 번개였다. 목성의 가스 구름 속에서 수천 킬로미터씩 이어지며 폭발하는 빛줄기에 비하면 지구에서 번개라며 보내오는 사진은 정전기 수준이었다. 그런 내게 목성의 번개가 기적이라는 양 얘기하다니.

세실리아는 요동치는 자기장 자료를 살폈다. 그리고 바나헤임 잠수정이 보내는 영상을 바라봤다.

"목성의 자기권 요동이 구름층들을 모으고 있는 걸지도 몰라. 쟤들 입장에선 갑자기 식량이 늘어난 거니까. 마야, 목성 자기 영상 보여 줄 수 있어?"

모니터에 자기 영상[49]을 띄웠다. 목성을 나타내는 흑백 원형이 나타났다. 흰색은 자기장이 위로 뻗

49 magnetogram. 자기장의 흐름을 시각적으로 표현한 영상.

어 나오는 곳을 가리켰고 검은색은 자기장이 아래로 들어가는 곳을 가리켰다. 평소 같았으면 목성의 북극은 흰색이고 아래로 내려가면서 점점 어두워져 남극은 새카만 색을 띠어야 했다.

"저런 건 본 적 없는데."

세실리아의 말대로였다. 본 적 없었다. 목성 중앙에 검은색과 흰색이 마구 엉킨 복잡한 무늬가 나타났다. 게다가 마치 움직이는 로르샤흐테스트[50] 그림처럼 빠르게 요동치고 있었다.

"적외선, 가시광선, 자외선, 엑스선, 전부 보여 줘."

네 개의 목성 이미지가 화면에 나타났다. 조금 전 자기장 얼룩이 나타난 곳 주변으로 목성의 가스가 태풍처럼 회전하고 있었다. 그리고 그곳에서도 번개가 쳤다. 태풍의 중심으로부터 우주 공간을 향해. 번개의 높이는 어림짐작으로도 10만 킬로미터는 넘어 보였다. 지구를 열다섯 번 관통하고도 남을 규모였다.

또 한 번. 이번엔 두 개의 번개가 동시에 솟아올랐다.

"바나헤임 잠수정 시야랑 같이 올려 봐."

목성에서 번개가 솟아오를 때마다 얼음 아래 구름층의 은색 바다가 번쩍였다. 두 현상은 이어져 있

50 추상적인 잉크 얼룩의 모양이 무엇으로 보이는지 묻는 심리검사.

었다. 구름층은 목성의 번개에 반응하고 있었다. 번개는 점점 높이 솟아올랐다. 구름층의 반응도 격렬해졌다.

“어, 저기, 여러분의 머리카락이 조금씩 떠오르고 있어요. 혹시 저도 그런가요?”

제롬이 자기 머리를 만지며 말했다. 솟구치는 건 머리카락뿐만이 아니었다. 팔의 털도 곤두섰다.

세실리아가 소리쳤다.

“수미! 당장 접속 끊어야 해! 마야, 수미에게 각성제 주사해서 깨우고, 기지 시스템을 생존 모드로 돌려!”

「잠깐, 잠수정을 자동조종으로…」

수미의 목소리가 머뭇거렸다.

“그럴 시간 없어! 마야! 주사!”

나는 의자를 박차고 일어났다. 조종석 옆에 있던 각성제를 꺼냈다.

각성제 주입구는 수미의 팔에 닿지 못했다. 눈앞이 번쩍임과 동시에 온몸이 감각을 잃었다. 남은 건 몽롱한 의식뿐이었다.

목성에서 뻗어 나온 우주 번개가 유로파를 가격했다. 아마도.

*

시간 감각조차 잃은 걸까. 얼마나 긴 시간이 지났는지 모르겠다. 몸의 감각은 매우 천천히 돌아왔다. 조금씩 앞이 보이기 시작했다. 비상등이 번쩍이며 주변을 시뻘겋게 물들였다. 기지가 자동으로 생존 모드에 들어갔다는 표시다. 좋은 사인은 아니다. 소를 반쯤 잃고 외양간 고쳤다는 뜻이니. 원자력 발전기가 걱정이다. 차폐 시설에 문제가 없어야 할 텐데. 세실리아는? 수미는? 다들 괜찮은 걸까.

팔다리의 감각이 돌아오기 시작했다. 느리게나마 움직일 수 있었다. 몸을 일으켰다. 현기증이 일었지만 견딜 수 있었다.

“세실리아….”

이제 입도 움직일 수 있었다. 벽을 짚고 두 다리로 일어섰다. 그제야 처참한 풍경이 보였다.

벽에 붙어 있던 화면은 모두 깨지고 조각났다. 화면뿐만이 아니었다. 깨질 수 있는 거의 모든 것이 원래의 형태를 잃었다. 바닥과 벽은 묘하게 비틀어져 있었다. 공기가 새는 소리가 들렸다. 기압이 낮아진 걸 느낄 수 있었다. 숨을 쉴 때마다 호흡이 무거웠다. 이산화탄소 농도가 높은 게 분명했다. 게다가 춥다.

“생명 유지 장치가 죽었어.”

뒤에서 세실리아가 나타나 말했다.

"맙소사, 세실리아!"

세실리아의 머리에서 피가 흐르고 있었다. 붉은 조명 아래에서 칠흑처럼 검은 피를 보니 심장이 멎을 것처럼 무서웠다. 유리 파편이 세실리아 이마에 박힌 것 같았다.

"너도 괜찮지는 않아."

뒤늦게 내 코와 귀에서 피가 흐르는 걸 느꼈다. 아프지는 않았다.

"수미. 수미는?"

세실리아가 조종석으로 다가갔다.

여전히 MTB 헬멧을 쓰고 있는 수미는 의식이 없었다. 헬멧 아래로 검은 액체가 흘러나오는 걸 보고 나는 서둘러 바닥에 떨어져 있던 각성제를 주워 들어 수미의 팔에 꽂았다. MTB 시스템은 아직 살아있는지 각성제가 들어가자 접속 해제 준비가 되었다는 음성이 나왔다.

세실리아가 헬멧의 잠금장치를 해제했다. 헬멧 아래로 드러난 수미의 얼굴에는 군데군데 화상이 남아 있었다. 세실리아가 수미를 조종석에서 끌어내려 품에 안았다. 나는 그런 세실리아를 뒤에서 감쌌다.

"어떻게 된 거죠?"

테이블 아래에 깔려 있던 제롬이 의식을 차리며 일어났다. 제롬은 우리를 보더니 고개를 떨궜다. 수미가 죽었다고 생각하는 걸까. 수미는 죽지 않았다. 심장도 뛰고 호흡도 한다. 하지만 깨어나지 못하고 있다.

"마야, 시설 상태 파악해 줘. 뭐가 죽었고 뭐가 살아 있는지. 같은 일이 또 일어나면 그땐 얼마나 견딜 수 있는지."

세실리아가 말했다.

*

상황은 심각했다.

파손된 원자력 발전기에서 방사능이 조금씩 흘러나오고 있었다. 전력망도 끊어졌다. 지금 기지를 움직이는 건 예비용 축전지였다. 이마저도 대부분 손상되어 남은 전력으로는 두세 시간을 채 견디지 못한다. 기지 어딘가에 틈이 생겨 공기는 계속 빠져나가고 있다. 공기 정화 장치도 보온 시설도 작동하지 않는다. 메인 컴퓨터는 죽었다. 목성에서 유로파로 번개가 내리친 것 같지만 추측일 뿐이다. 장담할 수 있는 건 하나뿐이었다. 같은 일이 한 번 더 일어난다면 모두 끝나 버린다는 것.

다행히 이륙선은 외부 손상이 조금 있을 뿐 무사했다. 이륙선을 타고 탈출해야 한다. 하지만 선착장을 정비하기 위해선 메인 컴퓨터가 필요했다. 그리고 메인 컴퓨터는 이미 죽었다.

"클라크를 쓰죠."

제롬이 말했다.

"클라크는 자체 연구용 인공지능이지만, 기본적으로 기지의 모든 시설을 관제할 수 있을 겁니다. 권한만 넘겨준다면."

이 상황에 권한 넘겨주는 게 문제인가. 나는 제롬을 옆으로 밀치고 메인 컴퓨터 조종석 옆에 보관해 두고 있던 검은색 태블릿을 꺼냈다. 손가락이 닿으면 베일 것 같은 날카로운 모서리를 가진 얇고 평평한 물체. 이 커다란 도미노 조각 같은 게 클라크였다.

"마야, 클라크가 깨어나면 수미 건강 상태 체크시켜. 아무래도 안 좋아 보여. 동공수축 반응도 없고."

세실리아가 울 것 같은 목소리로 말했다. 나는 클라크를 메인 컴퓨터 앞에 곧게 세웠다. 마치 무덤 앞의 비석처럼 보여 조금 불길했다. 케이블을 몇 개 연결하자 짧고 경쾌한 음악이 흐르면서 클라크의 표면에 환영 메시지가 나타났다.

"클라크, 내 말 들려?"

「들립니다, 벨 버넬 박사님. 현재 상황을 파악했습니다. 아무래도 제가 이곳에 남아 이륙선을 움직여야 할 것 같군요.」
"수미의 상태도 확인해."
「잠시만요. 확인했습니다. MTB 헬멧을 벗기기 직전까지의 자료로 판단하면, 치가넨코 박사님의 뇌가 기능을 잃어 가고 있습니다. 뇌가 잠수정 제어 시스템과 직접 연결된 상태에서 네 번의 전기 충격을 받았군요. 견딜 수 있는 수준이 아니에요.」
"네 번이라고?"

내 외침에 세실리아도 놀란 듯 고개를 들었다.

「여러분이 의식을 잃고 있던 동안, 치가넨코 박사님은 잠수정 한 대를 계속 움직이고 계셨던 것 같습니다. 자동조종으로 전환이 되지 않아 어쩔 수 없었나 봅니다. 그러는 동안 세 번의 우주 번개가 더 쳤고요.」
"… 왜?"
「중요한 샘플을 가져오기 위해서.」

클라크의 말을 듣고 제롬이 다가와 말했다.

"니플헤임 잠수정?"
「네. 니플헤임 잠수정의 샘플 보관함은 격리실에 도착해 있으며 언제든 이륙선에 옮길 수 있는 상태입니다. 운반 준비가 끝났을 때 마지막 번개가 치가넨코 박사님에게 치명상을 남긴 것 같네요.」

"수미를 회복시킬 수 있을까?"

내가 물었다. 무서웠지만 물어야 했다.

「영구적 손상으로 보입니다. 가니메데의 시설을 이용하면 부분적인 회복은 가능하지만, 시간이 부족합니다. 지금 유로파에서 출발하면 가니메데까지는 16시간이 걸리고 그사이에 뇌 기능이 완전히 정지될 겁니다.」

묻지 말았어야 했다.

"클라크, 이륙선을 준비해. 탑승하자마자 바로 출발할 수 있도록."

세실리아가 말했다. 이성을 되찾은 듯 냉정한 목소리였다. 세실리아는 수미를 어떻게 하려는 걸까.

"제롬, 당신은 먼저 가서 기다려요. 샘플도 확인하고. 자기장 교란 때문에 통신이 어렵겠지만, 그래도 가니메데의 우주선과 연락을 시도해요. 우린 여기서 할 일이 좀 남아 있으니 마저 처리하고 곧 뒤따라가죠."

세실리아의 말에 제롬은 잠시 머뭇거리다가 자세를 바로 세우고는 말했다.

"알겠습니다. 그럼 기다리고 있겠습니다, 세실리아 오우양 박사님."

제롬이 이착륙 시설이 있는 곳을 향해 걸어갔다.

세실리아는 제롬의 그림자가 사라지는 걸 확인하고는 눈짓으로 나를 불렀다.

"마야, 내 말 잘 들어."

세실리아가 팔로 내 목을 감싸 안으며 말했다.

"수미를 살릴 방법이 있어."

"네?"

"대신 유로파를 떠날 수는 없어. 나도, 수미도."

"잠깐, 그게 무슨 말이에요?"

나는 세실리아의 팔을 억지로 내리며 물었다. 세실리아는 도대체 무슨 말을 하는 건가.

"클라크, 네 기반 시스템이 뭐지?"

세실리아가 물었다.

「저는 다양한 분야의 과학자 256명의 뇌를 통합 재현한 전자뇌를 기반으로 만들어졌습니다. 그 과학자 중에는 여러분도 포함되어 있죠.」

세실리아의 손이 내 얼굴을 어루만졌다.

"수미를 클라크에 업로드할 거야. 뇌가 모든 기능을 잃기 전에. 그러면 유로파에서도 오랜 시간 견딜 수 있을 거고, 언젠가, 누군가, 다시 유로파를 방문할 때가 온다면…"

"도대체 무슨 소릴… 아니, 그게 가능하기는 해요?"

대답은 클라크가 대신했다.

「리스크는 있지만, 가능합니다. 저는 10년 이상 독립적으로 작동할 수 있고 저전력 모드에선 더 오래갈 수 있습니다. 다만 완전한 의식을 재현하기 위해선 제가 가진 많은 기능을 삭제해야 해요. 제 의식 기능도 삭제해야 하기 때문에 스스로 작업할 수는 없습니다. 자살은 못 하거든요. 누군가 남아서 저를 조작해 주셔야 합니다.」

"시도한다면 시간은 얼마나 걸려?"

세실리아가 물었다. 나는 무슨 말을 해야 할지 떠오르지 않았다.

「치가넨코 박사님의 뇌 신경망은 잠수정을 조종하는 동안 이미 충분히 스캔되었습니다. 제 DB에도 자료가 있고요. MTB 시스템을 조금 수정해서 사용하면 18시간이 필요할 것 같습니다.」

"안 돼요! 두세 시간 뒤면 전력이 바닥난다고요!"

나는 세실리아의 어깨를 붙잡고 말렸다. 말려야 했다.

"MTB 시스템으로 모든 전력을 돌리면 견딜 수 있을 거야."

"세실리아는? 지금 세실리아가 남으려는 거잖아요!"

"난 이미 충분히 살았고 몸도 많이 낡았어. 지구

로 돌아간들 어차피 오래 못 버틸 거야. 넌 아직 어리고…"

"나이 가지고 목숨 비교하지 마요. 농담으로라도 그러지 않기로 했잖…"

내가 말을 마치기 전에 세실리아가 자기 이마를 내 이마에 맞대었다. 뜨거웠다.

「오우양 박사님도 업로드 가능합니다.」

클라크가 말했다.

「제게는 오우양 박사님의 데이터도 있습니다. 물론 새롭게 스캔을 할 필요가 있어서 업로드에는 시간이 걸리겠지만, 박사님의 생물학적 몸을 유지하지 않아도 된다면 스캔하는 데 걸리는 시간과 비슷한 길이의 시간을 벌 수 있을 것 같군요.」

"생물학적 몸이라니, 이건 엄연히…"

"마야."

세실리아가 내 입을 손으로 가리며 끼어들었다.

"마야. 이게 우리 셋이 모두 살아남을 수 있는 유일한 방법이야."

"그럼 저도 여기 남겠어요."

「그건 어렵겠군요.」

클라크가 거절했다.

「두 사람분의 의식이 제 시스템이 받아들일 수 있

는 한계입니다.」

세실리아가 이어 말했다.

"그리고 넌 지구로 가야 해. 누군가는 유로파의 생명을 다룰 줄 알아야 해. 아무리 인공지능에 맡긴다고 해도, 진짜 과학자가 적어도 한 명은 있어야 한다고."

"지구 따위, 가 본 적 없어요. 제 고향도 아니고. 제 눈으로 본 적도 없고. 이젠 정말 그런 곳이 있는지도 모르겠어요. 여기가 제 세상이에요. 혼자 지구에 갈 바엔 여기 남겠어요."

"마야. 지구는 너의 고향이 아니야. 네가 구할 수 있는, 구해야 하는 세상이지. 넌 그 세상의 구세주가 될 거야."

"갑자기 이야기 규모 키우지 마요. 머리가 돌아가질 않잖아요."

"머리를 쓰고 있을 때가 아니야. 마야, 서둘러. 시간이 없어. 조금이라도 빨리 이륙선을 띄우고 수미와… 나를 클라크로 전송할 준비를 해야 해. 클라크, 이륙선 준비는?"

「벨 버넬 박사님이 탑승하시면 바로 출발 가능합니다.」

세실리아가 나를 품에 안았다.

"마야, 다시 볼 수 있을 거야. 사람들은 언젠가 다시 우주로 나올 거니까."

"안 나오면… 이제 사람들이 우주를 무서워해서 안 나오면…"

내 이마에 세실리아의 입술이 닿았다.

"그럼 내가 불러낼게. 당장 나오라고."

*

「그럼 저는 저를 지우러 가 보겠습니다. 태양계에서 가장 비싸고 유능한 인공지능 과학자의 간접 자살을 보여 드리지 못해 아쉽군요. 하지만 전 언제나 여러분 편입니다. 오우양 박사님과 치가넨코 박사님은 제 하드웨어 속에 안전하게 품고 있겠습니다. 짧은 시간이었지만 여러분을 위해 봉사할 수 있어 즐거웠습니다. 그럼 안전한 비행이 되길.」

이륙선이 떠오르면서 클라크의 목소리는 끊어졌다. 고도가 높아지자 유로파 기지의 모습이 보였다. 기지의 절반이 내려앉아 얼음 속에 묻혀 있었다. 기지를 덮고 있는 얼음은 깨끗했다. 번개에 일시적으로 녹았다가 새로 얼었기 때문인 것 같았다.

"두 분은… 안타깝게 됐어요."

제롬이 말했다. 나는 아무 말도 하지 않았다. 나도 저곳에 있고 싶었다. 언제나 그랬던 것처럼, 셋이 함께 있고 싶었다.

이륙선은 더 높이 올라갔고 유로파의 지평선이 둥글어지기 시작했다. 비행 속도가 빨라지자 금세 유로파의 전체 모습이 시야에 들어왔다. 유로파의 얼음판들은 천천히 움직이고 있었다. 판들이 부딪치는 곳에서는 얼음산이 솟아올랐고 갈라지는 곳에서는 물과 차가운 증기가 뿜어져 나오고 있었다.

적도 부근, 아마 가장 강력한 우주 번개가 내리친 것 같은 얼음 계곡에서 수백 킬로미터 높이의 수증기 기둥이 서서히 솟아올랐다. 수증기 입자들은 순식간에 얼음 알갱이가 되었다. 얼음 안개에 태양빛이 닿자 동그란 무지개가 나타났다. 수증기가 다시 솟아오르고 얼어붙어 가라앉을 때마다 무지개가 춤을 췄다.

"마야, 가니메데의 행성 간 우주선과 연락이 닿았어요. 아직 연결 상태가 좋지 못해서 음성통신은 어렵지만. 그쪽에서도 우리를 기다리고 있는 것 같습니다. 더 속도를 내야 할 것 같아요."

무지개가 사라졌다.

"네. 가죠."

나는 눈을 감았다.

"지구로."

*

행성 간 우주선이 지구로 향하는 24개월 동안 나는 잠들지 않았다. 특별히 허락을 받아, 아니, 요청을 받아 장기 수면 대신 연구를 했다. 나는 무중력 연구실에서 먹고 자며 니플헤임의 생물들을 해부하고 분석했다. 그들의 유전물질들이 움직이는 방법, 우선성 아미노산을 만들어 내고 그것을 이용해 살아가는 과정을 하나하나 지켜보며 때로는 그 과정을 방해하고 파괴했다.

내가 퀴수 바이러스를 보내 달라고 요구하자 지구에서는 무인우주선에 샘플을 담아 행성 간 우주선의 경로로 올려 보냈다. 세실리아의 예상이 맞았다. 퀴수 바이러스와 니플헤임 생태계의 기원은 같았다. 요툰헤임의 생물들을 몰살시킨 바이러스는 퀴수 바이러스의 먼 친척이었다. 그리고 니플헤임의 생물들은 그 바이러스와 공존하고 있었다.

니플헤임 생태계의 면역 시스템을 이해하는 건 쉬운 일이 아니었다. 그리고 그걸 지구의 동식물들에게 적용하는 것 또한 넘어야 할 커다란 벽이었다. 지구 궤도에 도착했을 때도 나는 그 벽을 넘지 못했다. 하지만 곧 가능해질 것 같았다.

「벨 버넬 박사님. 손님이 왔습니다.」

인공지능 조수 아서가 말했다. 아서는 유로파에 있던 클라크와 같은 모델이었다.

"누구야?"

「보먼 선장입니다. 중요한 소식을 가져왔다고 하네요.」

실험실 문이 열렸다. 선장은 커피 팩의 빨대를 물고 있었다. 그는 문 앞에서 커피를 한 모금 잔뜩 빨아 마시고는 말했다.

"선장은 점검 때문에 한 달에 한 번씩 일어납니다만, 장기 수면을 하고 나면 몸의 기능이 많이 떨어진답니다. 갑자기 졸리다가도 서른여섯 시간 동안 흥분 상태가 되기도 하죠. 처음 일주일 동안은 카페인과 수면제가 없으면 일을 못 해요. 들고 들어가도 될까요?"

"커피 정도는 괜찮아요."

내 말에 선장은 활짝 웃더니 주머니에서 다른 커피 팩 하나를 꺼내 내게 던져 줬다. 커피 팩은 빙글빙글 돌며 내게 날아왔고 나는 팩을 가볍게 붙잡았다. 카페라테였다.

"무슨 소식을 전하러 오셨나요?"

나는 커피 팩에 빨대를 꽂으며 물었다.

"유로파 기지와 연락이 닿았습니다. 사실 연락이 됐다기보다는 일방적으로 데이터를 전송받은 거지요. 하지만 일시적이에요. 여전히 자기폭풍이 심해서 지금은 다시 끊겼습니다. 음, 벨 버넬 박사님, 커피가 새어 나오고 있어요."

나는 공중으로 떠오르는 커피 방울에 빨대를 꽂아 마셨다. 그리고 손가락을 빙글 돌려 선장에게 계속 말하라는 사인을 보냈다.

"박사님께서 말씀하셨던 그 번개에 대한 자료더군요. 잠시 컴퓨터 화면 좀 빌리겠습니다."

선장이 컴퓨터를 만지작거리자 화면에 유로파의 전경이 떠올랐다.

"위성사진이에요. 그리고… 이 사진은 목성에서 유로파로 우주 번개가 떨어진 순간의 사진이고요. 어마어마하죠. 높이가 60만 킬로미터 이상이에요. 유로파 표면으로 끝까지 내려오는 데만 10초가 걸리죠. 이렇게 큰 번개는 본 적이 없어요. 이런 게 생겨날 수 있다는 생각도 못 했고. 이건 같은 순간 유로파의 고감도 엑스선 영상입니다. 빛줄기가 보이시나요? 얼음 아래의 바다에서도 번개가 흐르고 있다는 증거예요. 엄밀히 말하면 수중 플라즈마 현상[51]이겠죠."

내가 유로파에서 본 건 구름층들이 만든 은빛 바

51 액체 속에서 발생하는 플라즈마. 비유적으로 간단히 표현하자면 물속에서 발생하는 번개.

다의 자그만 번개였다. 하지만 지금 화면에 보이는 건 유로파의 바다를 가로지르는 번개였다. 바다 번개는 우주 번개가 떨어진 지점에서 여덟 가닥으로 갈라져 흐르고 있었다. 목성의 심연에서 솟아난 빛의 나무가 유로파 전체를 감싸고 있는 것 같았다.

"그리고 신기하게도 우주 번개가 유로파에 떨어질 때마다 여덟 개의 빛줄기는 항상 같은 곳을 향해 가더군요."

"유로파의 여덟 세계."

"맞습니다. 저희 쪽 과학자들이 추측을 내놓았는데… 얼음 아래를 뒤덮은 구름층들이 우주 번개의 전류를 유로파 전역에 전달한다고 합니다. 그리고 여덟 세계가 위치한 곳은 모두 해저에서 수십 킬로미터 솟아오른 거대 열수구인데, 열수구 속에서 금속 성분이 나오고 있기 때문에 열수구가 일종의 피뢰침 역할을 해서 그곳으로 전류가 흐르는 거 같다더군요."

"다들 연결되어 있었어요."

"네?"

"저 번개가 유로파의 생태계를 만든 거예요. 물을 분해해서 바다의 산소 농도를 높여 주고 열수구가 만들지 못한 유기화합물을 합성해 냈기 때문에 생명이 탄생할 수 있었던 거예요. 유로파의 바닥에 있던 미세 금속 입자나 유리 결정도 수중 플라즈마 때문에 발생한 거군요.[52] 그래서 아스족이 그걸로 도구를 만들 수 있었고. 저 번개 현상에 대해 더 알고 있는 게 있나요?"

"음, 글쎄요. 이번 현상이 일어나면서 목성의 적도에 커다란 대적점이 새로 생겼어요. 과거의 대적점보다 여섯 배나 큰 녀석이죠. 과거의 대적점 역시 같은 원인으로 발생한 거라고 가정하면… 이런 현상은 수만 년에서 수십만 년에 한 번씩 발생하는 것 같다고는 하더군요."

나는 확신했다. 저 번개가 유로파의 여덟 세상을 연결하고 있었다. 저 번개 때문에 300만 년 전 여덟 세계에서 동시에 생명이 탄생했다. 그리고 번개를 다시 만날 때마다 여덟 세계는 함께 대격변을 겪었다. 어떤 곳은 멸망하고 어떤 곳은 살아남았다.

선장은 커피를 다시 한번 빨고는 말했다.

"그리고… 이런 위성 데이터와 함께 짧은 메시지도 들어왔습니다."

그걸 먼저 말해야지. 나는 선장을 향해 고개를 돌렸다. 선장은 일부러 극적인 연출을 하려는 듯 목을 가다듬었다. 그리고 말했다.

52 액체에 녹아 있는 물질에 따라 수중 플라즈마에 의해 나노 입자가 합성되기도 한다. 번개가 물질을 변화시키는 예로, 번개가 모래사장에 떨어질 경우 모래가 녹아서 유리(섬전암)가 만들어지는 것을 들 수 있다.

"'마야.'"

심장이 뛰었다.

"'네 생각이 맞았어. 위그드라실[53]이야.' 위그드라실? 그게 뭐죠?"

나는 눈물을 참느라 대답할 수 없었다.

세실리아와 수미가 다시 내게 말을 걸었다.

*

유로파와는 다시 연결되지 않았다. 목성의 자기장 교란은 갈수록 심해졌다. 수십 년, 어쩌면 수백 년 동안은 진정되지 않을 것처럼 보였다. 지구의 우주 망원경이 유로파의 사진을 촬영할 때마다 표면의 얼음 무늬가 달라진 것이 확인됐다. 유로파는 여전히 격변을 겪고 있었다.

나는 지구로 내려갈 준비를 하고 있다. 퀴수 바이러스 백신과 치료제는 이미 개발이 끝났고 나보다 먼저 지구로 내려갔다. 첫 임상시험 대상자는 제롬의 아내와 아들이었다. 제롬은 자기 가족이 초기 감염자였고 치료할 틈도 없이 저온 수면실에 격리되었다는 사실을 마지막까지 철저히 숨겼다. 그 사실을 알고 나서야 그가 강경하게 나왔던 이유를 그나

53 고대 북유럽신화에서 아홉 세계를 이어 주는 세계수.

마 이해할 수 있었다. 그는 가족이 치료되었다는 걸 확인하자마자 나를 끌어안고 아이처럼 울었다.

세계는 이제 나를 기다리며 환호하고 있다. 나를 구세주라고 부르면서. 하지만 이미 초토화된 생태계를 완전히 회복하는 데는 긴 시간이 걸릴 것이다. 행성 간 우주선들은 모두 지구로 내려가 거대한 발전소이자 식량 공장이 될 것이다. 그리고 오랫동안 다시 떠오르지 않을 것이다.

나의 임무는 아직 끝나지 않았다. 언젠가 지구의 사람들이 다시 하늘을 올려다볼 때를 위해서라도, 조금이라도 빨리 위기를 잊고 다시 우주를 향하도록 하기 위해서라도, 나는 지구의 사람들을 도울 것이다.

「벨 버넬 박사님. 착륙선 내부에 격리 시설이 준비되었습니다.」

아서가 말했다.

내가 태어나고 살아온 우주선과 우주기지는 철저하게 관리된 공간이었다. 바닥에 붙어 사는 세균의 종류마저 관리되는 세상이었다. 하지만 지구는 그렇지 않았다. 나는 지구를 경험한 적이 없다. 내가 지구에서 만나게 될 모든 것이 낯선 것들이었다. 컵에 묻어 있는 세균, 코를 자극하는 꽃가루, 날아오르는 동물의 털, 빗방울 속 미생물. 내 몸이 겪어 본 적 없는 자극들이 나를 덮칠 것이다. 그래서 나는 지구 환경에 적응될 때까지 스스로를 격리해야 했다.

심지어 중력도 낯설었다. 내가 경험한 가장 강력한 인공중력조차 지구의 절반 수준이었다. 삶의 대부분을 보낸 곳인 가니메데와 유로파는 중력이 지구의 6분의 1에 불과했다. 지구의 중력에 내 몸이 어떻게 반응할지 알 수 없다. 소화불량을 겪을 수도 있다. 수미가 우유에 유산균을 타던 모습이 그리웠다.

나는 전혀 새로운 행성에 발을 디뎌야 했다.

「벨 버넬 박사님, 지구에서 메시지가 도착했습니다. 세계 각국의 대표들이 보냈군요. 읽어 드리죠.」

아서가 메시지를 읽기 시작했다. 하지만 귀에 들어온 것은 처음 한 문장뿐이었다.

「지구에 오신 것을 환영합니다.」

과학자

과학자의 탐사선이 얼음을 뚫고 올라왔다. 얼음 위로 나온 것이 처음은 아니었다. 그의 동료들은 이미 여러 차례 바다 세계를 덮고 있던 얼음을 뚫고 진공의 세계로 나왔다. 평생을 물속에서 보낸 그들에게 우주 공간은 허공 그 자체였다.

과학자가 지평선을 바라봤다. 거대한 가스 행성이 붉게 소용돌이치는 두 눈으로 그들을 바라보고 있었다. 무시무시했다. 하늘 얼음 위의 세계는 놀라움이 가득한 곳이었다. 하지만 이번엔 저 우주 공간의 괴물을 보러 온 것이 아니다.

전설이 있었다. 하늘 얼음 위에서 바다 세계를 지켜보던 초월적 존재들에 대한 전설이 여덟 세계 사이에서 전해져 오고 있었다. 처음엔 아무도 믿지 않았다. 하지만 여덟 세계가 함께 하늘 얼음 위를 탐사한 지 얼마 되지 않아 얼음 속에서 여덟 개의 거대한 구형(球形) 건축물이 발견됐다. 그리고 전설은 역사가 되기 시작했다. 얼음으로 뒤덮인 그 건축물들의 용도는 알 수 없었지만, 건축물에서 뻗어 나온 기둥 구조물에서 하늘 얼음 아래 세계의 토양 성분을 발견할 수는 있었다. 건축물을 만든 존재들이 여덟 세계를 방문했었다는 증거였다. 어떤 이들은 초월적 존재들을 여덟 세계를 이어 주는 고대의 신으로 받들었다. 여덟 세계 생성 이전에 초고대문명을 발전시킨 자들이라는 주장도 있었다. 어느 쪽이 진실이든 그들의 존재는 틀림없는 사실이었다.

찾았어. 탐험가가 무전기로 과학자를 불렀다. 과학자는 얼음 위를 달리는 장비에 올라타 탐험가가 있는 곳으로 향했다. 탐험가는 붉고 얼룩덜룩한 금속 우주복을 입고 있었다. 검은 구름 세계에서 온 탐험가는 모래 세계 출신인 과학자보다 몸집이 열 배는 더 컸다. ***이 근방에서 꾸준히 방사능이 흘러나오고 있더군.*** 탐험가가 그렇게 말하며 과학자를 안내했다.

놀라운 광경이었다. 탐험가가 발견한 것은 아홉 번째 건축물이었다. 그리고 지금까지 봐 온 여덟 개의 다른 건축물과는 생김새가 전혀 달랐다.

얇고 거대한 검은색 금속판이 가장 먼저 과학자를 맞이했다. 지금까지 본 적 없는 단단한 재질로 되어 있었다. 그리고 그 석판 뒤에는 더 충격적인 것이 있었다. 얼어붙은 거인, 어마어마하게 거대한 거인이었다. 단순하게만 계산해 봐도 과학자보다 수백 배는 더 커 보였다. 게다가 둘이었다. 한 거인이 다른 거인을 뒤에서 감싸 안고 있었다. 거인은 과학자나 탐험가와는 달리 네 개의 긴 촉수와 하나의 둥글고 짧은 감각기관을 가지고 있었다. 그리고 그 감각기관은 껍질 모양의 금속 구조물로 둘러싸여 검은색 석판에 연결되어 있었다. 탐험가는 전설 속 초월적 존재를 발견했다며 흥분을 감추지 못했다.

과학자는 석판을 살폈다. 어떤 용도일까 궁리하며 어루만지고 두드려 보았다. 투시 장비를 이용해 내부를 살폈다. ***신기하군. 거인들도 전기를 쓰나 봐.*** 석판 내부 구조는 전혀 이해할 수 없었지만, 전기를 모으는 부분만큼은 알아볼 수 있었다. 전력은 남아 있지 않았다. 비었다면 다시 채우면 된다. 과학자는 그곳에 전기를 흘려 보냈고 전력은 순식간에 가득 차올랐다.

석판이 빛나기 시작했다. 과학자는 놀라움에 뒤로 나자빠졌다. 석판의 표면에 낯선 그림과 문자가 나타났다. 과학자는 문자를 읽을 순 없었지만 그림은 알아볼 수 있었다. ***우리에게 태양계의 행성들을***

보여 주고 있어. 거인들은 다른 행성에서 온 거야!

갑자기 커다란 소음이 과학자와 탐험가의 청각을 덮쳤다. 그들의 무선장비가 미친 듯이 날뛰었다. *석판이 전파를 발생시키고 있다! 어디론가 신호를 보내고 있어.* 과학자는 무선장비 제어 장치를 조작해 소음을 줄였다.

과학자와 탐험가는 걱정했다. 무슨 일이 일어난 걸까. 하지만 당장은 아무 일도 일어나지 않았다. 탐험가는 다시 거인과 석판을 향해 다가갔다. 과학자는 조금 떨어진 곳에서 시간을 계산했다. 만약 거인들이 태양계의 다른 행성에서 왔다면, 그리고 석판이 그곳으로 전파를 보낸 것이라면, 어느 정도 시간이 지난 뒤에 반응이 올 수도 있다.

짧은 소음. 반응이 왔다. 직선거리로 시간을 계산한다면 태양계 세 번째 행성에서 온 것이 틀림없다고 과학자는 판단했다.

석판의 표면이 다시 빛났다. 이번에 나타난 건 그림도 문자도 아니었다. 석판의 색깔이 빠르게 변했다. 춤추는 무지개 같았다. 마치 흥분한 것처럼 보였다. 과학자는 생각했다. 석판에 감정이라도 있는 걸까? 거인들은 아직 살아 있고 석판도 사실은 그들의 신체 일부인 걸까?

석판의 빛이 어두워지고 전체가 다시 검게 변했

다. 그리고 중앙에 한 줄의 문자가 나타났다. 과학자는 그 글을 읽을 수 없었지만, 형태를 기록해 두기로 했다.

기다리고 있었어.

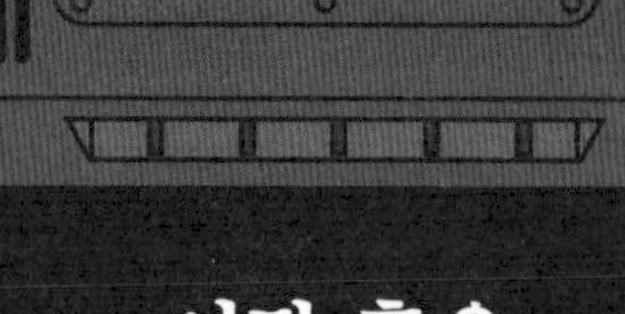

여담, 혹은 이어지는 이야기

카페 레드리스

마지막 문장

기다리는 이들의 박물관

카페 레드리스

라타는 폐점 시간보다 한 시간이나 일찍 주방 청소를 모두 마쳤다. 동지를 넘긴 직후라 밤이 이르게 찾아오는 데다 폭우까지 쏟아져 더 이상 손님이 올 것 같지가 않았기 때문이었다. 하나밖에 없는 어린 종업원 수도 정리를 끝낸 뒤 카운터 자리에 앉았고, 라타는 앞치마를 풀고 카운터로 나와 종업원에게 벽에 걸린 사진에 대한 이야기를 하나씩 풀기 시작했다. 모험담이었다. 지금은 자그만 카페 사장에 불과하지만 한때 탐험가였던 라타는 파트너와 함께 세계 곳곳을 누비던 이야기를 소설가처럼 생생하게 풀어놓았다. 수는 같은 일을 매번 다른 방법으로 풀어내는 라타의 이야기를 좋아했다. 사람 이름을 매번 다르게 그리고 이상하게 줄여서 부르기에 진짜 이름을 상상하는 재미도 있었다.

라타가 마지막 탐험 이후 결국 참여하지 못한 세계 해구 탐사에 대해 이야기하고 있을 때, 문에 달린 종이 울리며 마지막 손님이 들어왔다.

"어서 오세요."

수는 반사적으로 자리에서 일어나 컵에 물을 담은 다음 쟁반에 올리고는 손님이 자리에 앉기를 기다렸다. 손님은 우산을 쓰고 왔는지 완전히 젖지는 않았지만 폭우 속을 걸어서인지 옷과 긴 머리카락에서는 물방울이 똑똑 떨어지고 있었고 얼굴과 안경에는 빗물이 묻어 있었다. 손님은 물방울 자국과 발자국을 남기며 걷다가 카운터에 가까운 테이블에 자리를 잡고는 안경을 벗어 눈 주변의 물방울을 손으로 쓸어 냈다. 의자 밑으로도 물방울이 계속 떨어졌다.

그 모습을 보며 라타는 자그맣게 욕설을 뱉었다. 수가 알아듣고는 웃음 섞인 놀란 표정을 지으며 라타를 바라봤다. 라타는 수의 눈빛을 읽을 수 있었다. 청소 정도야 다시 하면 되죠. 라타는 한숨을 쉬며 주방으로 들어갔다. 그러고는 바깥을 향해 손짓을 했다. 주문이나 받아 와.

잠시 뒤, 수가 라타를 불렀다.

"라타 씨, 시금치 치즈 샌드위치라는 게 있나요? 메뉴에는 없는데, 손님이 있을 거라고…"

수의 말이 끝나기도 전에 라타는 샌드위치 두 접시를 카운터 위에 올렸다. 구운 빵과 치즈 그리고 걸쭉한 시금치 잼 냄새가 카운터 주변을 메웠다.

"여기. 하나는 네가 먹어. 오늘 야식 이거니까 먹고 퇴근해. 손님한텐 내가 들고 갈게."

수가 당황한 얼굴로 샌드위치를 바라보는 동안, 라타는 주방에서 빠져나와 샌드위치 접시 하나를 들고 직접 손님이 있는 테이블로 향했다. 그러고는 테이블을 사이에 두고 손님과 마주 앉았다.

접시를 거칠게 내려놓으며 라타가 말했다.

"아직 살아 있었네, 세스. 오랜만에 네 욕 좀 하려고 했더니."

세스는 소리 없이 웃더니 샌드위치 한 입을 베어 먹고 내려놓으며 말했다.

"네가 내 욕 하고 있을 줄 알고 무덤에서 튀어나왔지."

라타는 웃지 않았다.

"뭐 하러 온 거야?"
"세상에서 가장 게을러 빠진 탐험가가 만든 시금치 치즈 샌드위치를 다시 먹고 싶어서."
"세상에서 가장 비정한 과학자가 먹고 싶다면 만들어 줘야지."

여담, 혹은 이어지는 이야기

"독이라도 넣은 건 아니지?"
"그럴 리가. 침은 좀 뱉었어."

세스는 라타를 바라보며 샌드위치의 거의 절반을 한입에 넣더니 천천히 씹으면서 고개를 끄덕였다. 입 안을 깨끗이 비운 뒤에 세스는 웃음기 섞인 목소리로 말했다.

"드디어 비법이 뭔지 밝혔네. 15년 전에 물었을 땐 절대 안 가르쳐 준다더니. 근데 맛이 조금 달라진 거 같기도 해. 담배라도 시작한 거야?"
"호르몬 조절제를 먹고 있어서. 침 성분이 좀 달라졌겠지."

두 사람의 시선이 마주치고 침묵이 흐르기 시작했다. 굵은 빗줄기가 창문과 나무 천장을 때리는 소리만이 어색한 시간을 메웠다. 수는 갑자기 조용해졌다는 걸 깨닫고 뒤를 돌아보기는 했지만 곧 신경을 끄고 샌드위치를 먹는 데 집중했다.

라타는 일그러지려는 표정을 억지로 붙잡았다. 세스는 그런 라타를 보며 무언가를 참으려는 듯 입술을 깨물었다.

그리고 둘은 웃음을 터뜨렸다. 웃음소리에 깜짝 놀란 수가 어깨를 들썩이며 다시 그들을 돌아봤다. 두 사람은 테이블 밑에서 서로의 무릎을 걷어차며 웃고 있었다.

세스는 종이 냅킨으로 입을 닦으며 숨을 고르고 말했다.

"오랜만이야. 못 알아볼 뻔했어. 이제 완전 아저씨네."
"차라리 못 알아봤으면 더 재밌었을 텐데."
"수염 좀 나고 피부 좀 삭은 거 빼면 옛날 모습 그대로야."
"칭찬인지 놀리는 건지 모르겠어. 너도 그리 많이 변하진 않았네."
"우주에서 겉은 잘 안 늙어. 대신 속이 죽어 가지."

세스는 손가락으로 자기 가슴 가운데를 찌르며 말했다. 라타가 웃음을 멈추고 손가락 동작의 의미를 물으려고 할 때 수가 쟁반을 들고 나타났다.

"두 분 오랜만에 만나신 거 같아서요. 제가 드리는 거예요."

수는 쟁반에서 팔각기둥 모양의 녹색 유리잔을 내려놓았다. 잔에는 우유를 듬뿍 넣은 밀크티가 가득 담겨 있었다. 이어서 수는 설탕 통과 스푼도 가지런히 테이블 위에 놓았다.

"고마워요. 샌드위치는 마음에 들어요?"

세스의 물음에 수는 환하게 웃으며 대답했다.

"좋았어요! 라타 씨, 이거 왜 정규 메뉴에 없는 거

죠?"

"손이 많이 가는 데다 수지 타산이 안 맞아서. 야식으로는 가끔 만들어 줄게."

수는 라타를 향해 엄지를 치켜세운 다음 세스에게 미소를 한 번 보이고 카운터 너머로 사라졌다. 접시를 씻는 소리가 들리기 시작했다.

가끔 카운터 너머로 보이는 수의 윗머리를 보며 세스가 말했다.

"좋은 애 같네."
"좋은 애야. 똑똑한 애고. 여기 있기엔 아깝지."
"여기 있기 아깝기는 너도 마찬가지인 거 같은데."

세스는 손가락으로 벽에 장식된 사진을 가리켰다. 사진 속에서 라타와 세스는 흘러가는 용암 옆에 서서 열기에 곱슬해져 버린 서로의 긴 머리카락을 높이 들어 올리며 웃고 있었다.

"날 굴려 주던 망할 파트너가 떠나 버려서 말이야."
"그 망할 년에게 할 말이 있다면 지금이 기회야."
"말 몇 마디로 한이 풀릴 거라고 생각해?"

라타는 웃는 얼굴로 말했고 세스도 미소를 짓고 있었지만 다시 침묵이 둘 사이에 스며들었다. 라타는 사진 속 자신들을 조용히 바라봤고 세스는 들고 있던 샌드위치를 내려놓았다. 빗소리는 잠잠해졌고 수가 식기를 정리하는 소리가 간간이 들려왔다. 식어가는 밀크티 표면에는 우유 피막이 생기기 시작했다.

세스는 설탕 한 스푼을 밀크티 위에 살며시 올렸다. 설탕은 두꺼운 피막 위로 산처럼 쌓였다가 천천히 말려들며 연갈색 바다 속으로 사라졌다. 세스는 스푼을 집어넣어 설탕을 감싼 피막을 찢었다. 그러고는 젓기만 할 뿐, 마시지는 않았다.

라타가 손을 내밀어 세스의 밀크티 잔을 들어 올려 한 모금 마시고는 다시 세스 앞에 내려놓았다. 그리고 여전히 웃는 얼굴로 말했다.

"돌아온 용기는 인정해 줄게."

"돌아온 거 아니야. 잠깐 들른 거지. 내일이면 다시 떠날 준비를 하러 가야 해."

"더 끝내주는데. 지난 8년 동안 나 모르게 몇 번씩 이렇게 왔다가 간 거야?"

"아니, 이번이 처음이야."

"8년 만에 처음으로 잠깐 지구에 들렀다가 다시 떠나려는 와중에 카페 레드리스까지 찾아와 줘서 정말 감사합니다. 그래서 여긴 뭐 하러 온 거야? 진짜 샌드위치 때문은 아닐 테고."

"왜? 샌드위치 먹으러 오는 게 어때서?"

세스는 다시 샌드위치를 집어 들었다. 하지만 라타가 샌드위치를 뺏고는 다시 접시 위에 올리고 자기 앞으로 당겼다.

"먹지 마. 진짜로 침 뱉었으니까."
"처음부터 진짜 그랬을 거라고 생각했는데."
"아무튼 먹지 마."
"아직도 원망스러워?"
"원망 같은 거 안 해. 너랑 같이 용암 호수나 지하 몇 킬로미터 밑에서 사는 생물들을 들여다볼 때는 재밌기도 했어. 지구에서 외계인을 발견하는 느낌이었지. 하지만 결국 난 네 연구를 도와주는 가이드였을 뿐이고, 네가 언젠가 떠날 거라는 건 알고 있었어. 다만 네가 그렇게 갑자기, 또 멀리 떠나 버릴 줄 몰랐을 뿐이야. 그리고…"

라타는 접시를 다시 세스 앞으로 보내고는 이어 말했다.

"붙잡을 기회조차 주지 않을 거라고는 생각도 못 했고."

세스는 접시 위에서 손가락을 미끄러트리며 말했다.

"붙잡았어도 달라질 건 없었을 거야."
"알아."

세스는 밀크티를 한 모금 마셨다. 세스가 잔을 내려놓자 라타가 같은 잔을 들어 올려 한 모금 마시고 내려놓으며 말했다.

"우주에 10년쯤 있으면 몸이 망가지기 시작한다던데, 또 우주로 나간다고? 얼굴은 그대로지만 피부는 창백해졌고 근육은 다 빠졌구만. 허리도 휘었고."

라타의 시선이 몸을 훑자 세스는 과장된 몸짓으로 허리를 바로 세우며 말했다.

"지구 중력이 강해서 그래. 가벼운 지구 부적응 증후군이야. 그래도 일할 때는 괜찮아. 거긴 중력이 달이랑 비슷하거든."
"그런 얘기가 아니잖아."

세스는 고개를 끄덕이며 웃었다.

"의사도 나한테 욕을 하더라고. 하지만 너무 오랫동안 기다리고 기다렸던 일이라서. 이번에 새로 시작되는 프로젝트라 지금 합류하지 않으면 다음 기회가 오기 전에 강제로 은퇴당할 것 같았거든. 그래서 이번 일이야말로 진짜 마지막 임무라고 약속까지 하고 잡은 일이야."
"그럼 그 새로운 프로젝트가 끝나면, 그때는 지구로 돌아올 거야? 잠깐 왔다 가는 게 아니라, 제대로."
"글쎄. 난 아마 그 프로젝트에 끝까지 참여하진 못할 거야. 아까 말한 것처럼, 몸이 더 못 견딜 게 분명하니까."
"그럼 더 일찍 돌아올 수도 있겠네."

세스는 대답하는 대신 라타를 조용히 바라봤다. 이윽고 라타의 시선을 피하며 종이 냅킨을 한 장 꺼냈다. 녹색 선이 불규칙하지만 우아한 곡선을 그리며 테두리를 장식했고 가운데에는 나뭇가지를 든 적갈색 다람쥐가 그려져 있었다.

세스가 손끝으로 다람쥐를 어루만지며 말했다.

"또 기다리려고?"

라타는 대답 대신 헛기침을 하고는 세스의 손에서 냅킨을 뺏어 자기 입을 닦았다. 아무것도 묻어나지 않았다. 라타는 냅킨을 구겨서 테이블 위에 아무렇게나 던지고는 카운터를 돌아보며 외쳤다.

"수! 비가 약해졌을 때 얼른 돌아가. 더 쏟아지기 전에. 시급은 다 채워서 줄 테니까. 우산은 내 걸 가지고 가."

수는 카운터 위로 고개를 빼꼼 내밀며 대답했다.

"네! 찻잎 몇 종류가 다 떨어졌던데 그거 보충만 하고 갈게요."

수가 다시 사라지자 세스가 턱을 괴며 말했다.

"쟤 마음에 들어. 뭐 하는 애야?"
"관심 꺼. 쟤까지 우주로 데려가려고 하지 마."
"그렇게 말하는 거 보니까 나랑 비슷한 일 하는 애 같은데."

라타는 실수했다는 듯 한숨을 쉬었다.

"해양생물학 하는 녀석이야. 심해 바닥 밑에 사는 생물들을 연구한다나. 내년에 졸업할 거야."

"내년에 졸업하는데 이런 데서 밤늦게까지 맘 편하게 일하고 있어도 되는 거야?"

"얼마 전에 애인한테 차였대. 그 애인 놈은 달에서 일하기로 했는데 지구 밑바닥 중 밑바닥이나 들여다보는 애랑 계속 만나고 다닐 수 없다고 했다나. 뭐, 그런 말을 듣고 충격받아서 한 달 정도 그냥 쉬고 있어."

"아주 나쁜 놈이었네. 뭐 그런 녀석이 있는 거지?"

세스는 소리 없이 욕을 한 번 뱉었다. 라타는 그게 들리기라도 한 것처럼 코웃음 쳤다.

"그래, 누구처럼 아주 나쁜 녀석이지."

"이봐요, 난 그렇게까지 말하진 않았다고."

"하지만 훨씬 더 멀리 가 버렸잖아."

"탐험가 주제에 맨날 거리 타령이야."

두 사람이 다시 한번 찻잔을 공유하는 동안, 수는 카운터에서 빠져나와 낡은 앞치마를 풀었다. 가지런히 접은 앞치마를 카운터 밑에 집어넣고는 그곳에 숨어 있던 커다란 백팩을 꺼내 한쪽 어깨에 멨다. 수가 두 사람 옆으로 다가온 순간 제대로 잠기지 않은 가방 속에서 두꺼운 책과 얇은 태블릿 컴퓨터 따위가 쏟아져 목재 바닥을 울렸다. 라타가 허리를 숙여 책을 주우려고 하자 세스는 자기가 하겠다며 라타를 막았다. 세스는 바닥에서 '우주해양학'이라고 적힌 책을 주웠다. 태블릿 컴퓨터의 화면이 깨지지 않았다는 사실에 안도의 한숨을 내쉬던 수는 세스가 책을 직접 가방에 넣어 주자 부끄러운 듯 손등으로 코를 살짝 만지며 웃었다.

"감사합니다."

"조심해서 가요. 그리고 얼른. 금방 비가 다시 쏟아질 거 같으니까."

수는 라타와 세스에게 가볍게 인사를 하고는 카페 바깥으로 나갔다. 우산을 펼치는 소리가 들렸다. 가벼운 발걸음이 약해진 빗줄기 너머로 사라졌다.

"나, 재랑 더 가까워질 수 있을 것 같은데."

방금 수가 열고 나간 문을 바라보며 세스가 말하자 라타가 불평했다.

"수 녀석, 책은 왜 떨어뜨려서."

세스는 가슴 주머니에서 작고 네모난 종이를 꺼내고는 말했다.

"다음에 오면 이것 좀 전해 줄래? 네가 말한 것처럼, 여기 있기엔 아까운 애 같아. 겨우 달에 간 녀석에게 상처받아서 울적해질 바엔 더 멀리까지 가 보는 게 어떠냐고 물어봐 줘. 졸업할 때 연락 한번 달라고."

"넌 정말 나쁜 새끼야."

라타는 웃는 얼굴로 말하고는 종이를 집어 들었다.

"명함이라니, 요즘에도 이런 걸 쓰는 줄은 몰랐는걸."
"지구 밖에선 가끔 필요할 때가 있어. 방사선 때문에 기계들 고장이 잦은 데다 '이웃' 간 거리의 기준이 수만 킬로미터다 보니 다들 사람의 물성을 그리워하거든."

라타는 명함을 코끝으로 가져가서는 조용히 주변 공기를 마셨다.

"사람의 물성이라."
"이상한 상상 하지 말고. 샌드위치 포장이나 해 줘."

세스는 마지막으로 샌드위치를 한입 베어 물고는 접시 위에 올려 라타에게 건넸다. 라타는 명함을 가슴 주머니에 집어넣고는 접시를 들고 카운터로 갔다. 샌드위치를 종이 상자에 담은 뒤 카운터 아래에서 찻잎이 든 자그만 봉지 두 개와 여분의 종이 냅킨도 꺼내 넣었다. 다시 카운터를 나왔을 때 세스는 이미 자리에서 일어나 문 앞에 서 있었다.

라타는 종이 상자를 세스에게 건네며 말했다.

"세스."

세스는 종이 상자를 받으며 말했다.

"라타."

두 사람의 눈이 마주쳤다. 두 사람 모두 하고 싶은 말을 꺼내기 위해 힘겹게 노력하고 있었다. 먼저 성공한 건 세스였다.

"더 이상 기다리지 마."

라타는 고개를 끄덕이며 소리 없이 웃었다. 이미 알고 있었다. 세스가 이곳에 온 이유는 이 말을 하기 위해서였다는 걸. 자신은 세스를 붙잡고 있는 저 하늘 너머의 세상에게 이길 수 없다는 걸. 그 사실을 세스가 먼저 깨달은 날, 세스는 라타를 떠났다.

라타는 종이 상자를 두드리며 담담하게 말했다.

"냉동은 하지 말고, 내일 점심 때까지는 먹어. 그 때까지도 남은 건 버리고."
"내일 아침에 먹을 거야. 이 아침 식사가 너무 그리웠거든."

두 사람은 시선을 겹쳤다. 그러고는 더 이상 아무 말도 하지 않고 서로 돌아섰다. 라타는 주방으로 들어갔고 세스는 문을 열고 바깥으로 나갔다. 낡은 경첩이 삐걱거리는 소리가 문에 달린 종 소리보다 유독 크게 들렸다.

혼자 남은 라타는 주방 바닥에 놓인 자그만 의자에 앉았다. 천장을 물끄러미 올려다보다가 조미료

선반 위에서 오래된 레시피 노트를 꺼냈다. 노트를 펼치자 그 안에서 색이 바랜 엽서 한 장이 나왔다. 두 사람이 서로 주고받기 위해 직접 만든 엽서이자 세스가 떠나던 날 남기고 간 것이었다. 라타는 세스의 손 글씨를 차마 다시 보지 못하고 엽서를 뒤집었다. 뒷면엔 적갈색 다람쥐 그림이 그려져 있었다. 세스가 그린 것이었다.

라타는 손목시계로 전화를 걸었다. 신호음은 세 번 울렸다.

「네, 라타 씨. 무슨 일이세요?」

"집에 잘 도착했나 해서. 그나저나 너 졸업이 언제라고 했지?"

「내년 6월이요. 왜요?」

"졸업 선물이나 준비해 두려고."

「제가 그때까지 거기서 일할 거라는 보장이 어디 있다고.」

"일하고 있을 거야, 분명. 졸업 후에 갈 곳은 정해졌어?"

「아픈 데 찌르지 마요. 후원자들이 요즘엔 바다에 별로 관심을 안 가져서 자리가 별로 없어요.」

라타는 가슴 주머니에서 명함을 꺼냈다. 심우주 탐사 공동 사업국 목성계 거대 해양 탐사 그룹 책임 연구원 닥터 세실리아 오우양.

"지구 바다는 그렇겠지."

「지구 바다 무시하지 마요.」

라타는 웃으며 알았다고 말하고는 전화를 끊었다. 명함은 엽서와 함께 레시피 노트에 끼우고 노트는 선반 깊은 곳에 집어넣었다.

세실리아는 가게를 나와 우산을 펼쳤다. 빗방울이 우산을 때리는 소리를 들으며 잠시 걷다가 뒤를 돌아봤다. 〈카페 레드리스〉의 나무 간판에 새겨진 적갈색 다람쥐가 세실리아를 바라봤다. 빗물이 흘러내릴 때마다 다람쥐가 눈을 깜박이는 것처럼 보였다.

뭘 바라고 여기까지 온 걸까. 세실리아는 스스로에게 물었다. 라타에게 어떤 말을 듣고 싶었던 걸까. 마지막에 자신이 먼저 그 말을 하지 않았더라면, 라타는 무슨 말을 했을까. 라타의 말을 들었다면 어떻게 되었을까.

비가 다시 거칠게 쏟아지기 시작했다. 〈카페 레드리스〉는 이제 빗줄기에 가려 보이지 않았다. 세실리아는 가던 길을 마저 걸어갔다. 그리고 다시는 돌아보지 않았다.

역 앞에 도착했을 때 문자 메시지가 도착했다.

송신자: 제롬 에그너

「세실리아, 당신 개인 사정 때문에 계속 출발을 미룰 수는 없어요. 24시간 내로 현장에 오지 않으면 계약 취소하고 그냥 두고 가 버릴 겁니다. 지금 확인 답장 주세요.」

세실리아는 무시했다. 지구 문화권의 조급함이 마음에 들지 않기도 했고 지금 자신이 지구 반대편에 있다는 얘기를 해 봤자 프로젝트 매니저의 속을 뒤집어 놓을 뿐이었다. 그들에게 자신이 필요하다는 걸 세실리아는 잘 알고 있었다.

세실리아는 우산을 접었다. 〈카페 레드리스〉에 도착했을 때처럼 얼굴에 빗방울이 잔뜩 튀어 있었다. 눈가에 맺힌 물방울을 닦아 내며 세실리아는 비가 와서 다행이라고 또 한 번 생각했다.

이제 지구에서 세실리아를 기다리는 사람은 아무도 없었다. 다시 떠날 준비가 되었다.

마지막 문장

'어쩌다 여기까지 왔을까.' 수미는 두통을 참으며 생각했다. 지구에서 6억 킬로미터 떨어진 얼음 바다 속에 잠수정을 신체로 삼은 상태로 완전히 고립되어 버렸다. 진짜 몸은 여전히 기지에 있다고 해도 뇌로 이어지는 모든 감각이 잠수정에 연결된 이상, 수미는 바닷속에 있는 것이나 마찬가지였다. 다들 괜찮냐고, 도대체 무슨 일이 있었던 거냐고 묻고 싶었지만 그럴 수 없었다. 음성통신 기기가 반응하지 않았다. 의식과 감각이 여전히 잠수정에 남아 있는 걸 보면 기지와의 연결이 완전히 끊어진 건 아니었다. '아니, 어쩌면 그럴지도 몰라.' 두려워졌다. '기지에 있는 진짜 몸과 뇌는 죽어 버리고 유사 의식만 잠수정에 남아 있는 건 아닐까? 나는 수미 치가넨코가 가

진 의식의 열화 카피에 불과한 건 아닐까? 이대로 유로파 바다의 인공 물고기로 살아야 하는 건 아닐까?'

수미는 상상 속에서 머리를 거칠게 흔들었다. '정신 차려야 해. 잠수정에 갇힌 내 의식의 열화 카피라면 절대 알 수 없을 만한 걸 떠올려 보자. 어쩌다 여기까지 왔을까. 어쩌다. 목성계에 도착하자마자, 가니메데에 착륙하자마자 유로파에서 최초의 지구 밖 동물 화석이 발견되었다는 뉴스가 떴었지. 그래서 곧장 유로파 기지 근무를 자원했어. 그때 나타난 사람이 세실리아. 아니, 내가 세실리아에게 먼저 연락을 했었는데. 어떻게? 라타 씨가 준 명함. 내가 목성계에 가겠다고 하니까 기다렸다는 듯이 거기에 아는 사람이 있다며 준 명함. 그게 세실리아의 명함이었지. 세실리아는 내가 연락을 하자마자 당장 유로파로 날아오라고 했고. 그래서 올라탄 유로파 왕복선에 마야가 있었지. 아직 학생이었을 거야. 그땐 우주 출생이라는 마야가 조금 재수 없어 보였었는데. 몇 달 뒤에는 마야도 유로파 기지에 합류했고, 거기서 모든 게 시작됐어. 거기서 여기까지 온 거야. 다 기억 나. 난 망할 열화 카피 같은 게 아니야.'

수미는 다시 한번 음성신호를 보내는 데 집중했다. '세실리아, 마야. 내 말 들려요?' 하지만 아무런 반응도 돌아오지 않았다. 기지가 무사하지 않을 가능성이 높다는 걸 곧 깨달았다. 세실리아와 마야가 무사했다면 지금쯤 수미의 몸에 각성제를 주사했을 테니까. 아직도 잠수정에 갇혀 있다는 건 그들이 수미의 몸에 접근할 수 있는 상황이 아니라는 뜻이었다. 그렇다면 지금 할 수 있는 일은 일단 기지로 돌아가는 것뿐이다. 달리 말해, 하던 일을 계속해야 했다.

수미는 눈을 떴다. 정확하게 표현하자면 이상한 각도로 돌아가 있던 카메라를 원래 위치로 되돌렸다. 수미의 의식과 감각은 니플헤임 잠수정에 있었다. 다른 잠수정의 존재는 전혀 느낄 수 없었다. 수미는 가장 중요한 임무를 떠올렸다. '헬족 샘플은?' 무사했다. 거미를 닮은 헬족과 그에 기생해서 살던 니플헤임의 다른 생물들이 샘플 보관함 속에서 이리저리 움직이고 있었다. 직접 볼 수는 없었지만 느낄 수는 있었다. 외계 생명을 몸속에 품고 있는 느낌이라 꺼림칙하기는 했지만.

수미는 마지막 순간의 기억을 다시 떠올려 봤다. 니플헤임 잠수정이 기지에 도착하기까지 20분 정도 남은 순간이었다. '마야는 어째서인지 30분 남았다고 말했지만. 조금이라도 더 이곳에 있고 싶었던 걸까.' 문득 마야와 세실리아가 걱정되기 시작했다. 수미는 잠수정을 다시 움직여 보았다. 기지에 도착해서 무엇을 할 수 있을지는 알 수 없었지만, 그래도 일단 돌아가야 했다. 그들에게 돌아가고 싶었다. 수미의 의식을 담은 니플헤임 잠수정은 최대 속도로 유로파의 심해를 가로질렀다.

‘또 이 느낌이야.’ 컴컴한 터널 속에서 멀리 떨어진 빛을 향해 나아가는 듯한 느낌. ‘진짜 임사체험 같네.’ 농담을 뱉어 봤지만 그럴 상황이 아니라는 걸 수미는 알고 있었다. 이 느낌을 받은 뒤 얼마 지나지 않아 어떤 일이 일어났고 의식을 잃었다. 다시 깨어났을 땐 기지와의 통신도, 다른 잠수정과의 연결도 끊어진 상태였다. 그 일이 또 일어나려 하고 있었다. ‘번개’. 수미는 번개를 본 기억을 떠올렸다. 구름층 무리 사이에서 번개가 쳤었다. 수미는 잠수정의 속도를 유지하며 카메라를 움직여 위를 올려다봤다. 구름층 무리가 만들어 내는 은빛 강줄기가 얼음 천장의 굴곡을 따라 출렁이고 있었다. 하지만 처음 봤을 때와 뭔가 달랐다.

‘잠깐만. 가시광 대역에서 천장이 보일 만큼 상승하지는 않았을 텐데. 천장까지는 적어도 500미터 이상 떨어져 있잖아. 잠수정 조명이 거기까지 닿았을 리가 없어. 구름층이 빛을 내고 있는 거야. 500미터 깊이의 물을 뚫을 만큼 강력하게. 조금 전까진 저렇지 않았어. 또 무슨 일이 벌어지려는 거야. 무슨 일? 그때 마야는 뭔가가 이어져 있다고 했어. 그 전엔 수중 번개와 목성의 번개 얘기가 나왔고. 의식을 잃기 직전에도 구름층이 빛나기 시작했지. 그렇다면…’ 수미는 잠시 고민하다가 생각을 정리했다. ‘번개가 기지를 강타했던 거야. 구름층 사이에서 발생한, 혹은 구름층이 생성한 번개가 기지를 친 걸까? 아니면, 설마. 목성에서 유로파까지 번개가 칠 리는 없어.'

수미는 다시 천장을 확인했다. 구름층이 만들어 낸 빛나는 은색 줄기가 복잡하게 얽히고설키며 꿈틀거리고 있었다. 마치 살아 있는 동물의 혈관처럼 보이기도 했다. 그리고 이 유로파의 은빛 혈관은 점점 밝아지고 있었다. 구름층 번개든 목성 번개든, 다시 한번 생겨나려는 조짐이 보였다. 수미는 고민했다. '피해야 할까? 어디로? 아니, 잠수정에 묶인 상태로 피하는 건 의미가 없어. 내 진짜 몸은 기지에 있으니까. 잠수정으로 어디를 가든, 번개가 기지를 덮친다면 아무 의미도 없어.' 결론은 계속 나아가는 것뿐이었다. 만약 기지가 어느 정도 피해를 입었더라도 세실리아와 마야가 무사하다면, 어떻게든 기지로 돌아가야 했다. 헬족 샘플은 지구 사람들이 살아남기 위해 필요했고, 세실리아와 마야는 곧 지구 사람이 될 테니까. '기왕이면 내 몸에도 큰 문제가 없었으면 좋겠는데.' 수미는 머리 위 풍경에는 신경을 끄고 잠수정을 움직이는 데 집중했다.

얼마 지나지 않아 눈앞이 새하얗게 변하더니 휘황찬란한 색으로 뒤덮였고 수미의 의식이 끊어졌다.

정신을 차렸을 때 수미는 머리가 깨질 것 같았다. 지금까지 겪은 적 없는 통증이었다. 게다가 싸구려 안경을 쓴 것처럼 시야가 일그러졌다. 생각에 집중하기가 어려웠다. 평소보다 훨씬 많은 노력을 해야 머릿속에서 구체적인 문장을 만들 수 있었다. 잠수정을 점검해 봤지만 문제는 없었다. 모든 게 정상 신호를 내보내고 있었다. '내 몸에 문제가 생긴 거야. 아마 뇌나 시신경을 다친 걸지도. 번개가 기지를 때린 게 분명해. 뇌가 기계랑 직결되어 있으니 타격이 클 수밖에.' 수미는 자기 몸이 결코 멀쩡할 리 없다는 현실을 순순히 받아들였다. 그리고 다시 잠수정의 속도를 올렸다.

기지 도착까지 5분 정도를 남겨 둔 시점에서 수미는 무언가가 자기 몸 위로 기어오르고 있다는 느낌을 받았다. 카메라를 이리저리 돌려 봤지만 잠수정 주변에 딱히 눈에 띄는 것은 없었다. 신경에 문제가 생겼기 때문일 거라 생각하며 수미는 이동에 집중했다. 하지만 다른 문제가 있었다. 추진력은 그대로였지만 이동 속도가 점점 빨라지고 있었다. 잠수정에 가해지는 저항이 줄었거나 잠수정의 무게가 줄었거나 둘 중 하나였다. 어느 쪽이든 결론은 같았다. '잠수정을 덮었던 얼음이 녹고 있어. 예상보다 빨리. 바다의 수온이 올라가고 있는 걸지도. 기지에 도착하기 전에 얼음이 모두 녹아 버리면 이곳이 위험해질 수 있어. 서둘러야…'

여담, 혹은 이어지는 이야기

세 번째 번개는 이전에 친 두 번의 번개보다 강력했다.

'따뜻해.' 수미는 포근함을 느꼈다가 이럴 리가 없다며 퍼뜩 정신을 차렸다. 여전히 잠수정 속의 의식이었다. 수미는 잠수정을 다시 움직이면서 센서를 하나하나 점검했다. 어딘가 불길한 따뜻함이었다. 잠수정을 덮은 얼음이 녹아서 유로파 바다와 직접 접촉을 하게 된 것이 따뜻해진 원인일 수도 있었다. 그렇다면 지금까지의 노력은 물거품이 되는 것이다. '여기까지 인간 대장균 세상으로 만들 수는 없어.' 그런 일만큼은 피하고 싶었다.

잠수정 하부의 압력 센서가 액체에 노출되었다는 신호를 보내왔다. 수미는 불안함을 억누르며 카메라를 움직여 확인했다. 그곳은 여전히 얼음으로 뒤덮여 있었다. 균열은 보이지 않았다. 하지만 얼음 표면에는 설계 당시 계획하지 않았던 복잡한 줄무늬 홈이 얕게 파여 있었다. 게다가 얼음 속에는 크고 작은 기포가 가득했다. '저거 때문에 속도가 빨라진 거야. 마찰이 줄고 무게가 가벼워졌어. 얼음 속 기포는 오히려 얼음의 내구성을 올려 주고 있고.' 당연한 의문이 뒤이어 떠올랐다. '누가… 만든 거지?' 가장 먼저 떠오른 건 역시 세실리아와 마야였다. 하지만 구름층을 움직일 수 있는 자기장 제어 시설은 기지 아래의 잠수정 선착장에만 있었다. 그렇다고 해서 저런 정교한 구조가 자연적으로 생겼다고 볼 수도 없었다.

결론은 하나였다. '구름충이 만들어 준 거야.' 마야는 머리 위를 바라봤다. 구름충이 만들어 내는 거대한 은빛 강 중에서도 가장 굵고 밝은 줄기가 잠수정을 따라오고 있었다. '구름충이 잠수정을, 나를 돕고 있어.' 말도 안 된다고 느꼈지만 그 말을 머릿속에 문장으로 떠올릴 수는 없었다. 눈앞에 보이는 사실을 부정할 수 없었다. 잠수정 표면을 덮은 얼음의 구조는 공학적으로 정교하게 재설계된 게 분명했다. '구름충에게 지성이 있어. 그것도 수준 높은 지성이. 유로파 바다의 물리적 특성과 유체역학을 활용할 수 있을 만큼.' 더 중요한 결론에 이르기까지는 조금 더 시간이 걸렸다. '그리고 미지의 세계에서 온 방문자의 의도를 이해하고 그걸 도울 수 있을 만큼.'

처음에는 머리 위의 구름충 무리가 자신을 따라오고 있다고 수미는 생각했다. 아니었다. 오히려 조금 더 앞서가고 있었다. 구름충 무리는 시간이 갈수록 수미가 미리 입력해 둔 경로와는 다른 방향으로 움직였다. 마치 길을 안내하려는 것처럼. '따라가야 할까?' 수미는 얼음 표면에 새겨진 아름다운 줄무늬가 잠수함 전체를 감싸고 있다는 걸 확인하고는 구름충들을 따라가기 시작했다. 구름충이 다른 길을 안내한 이유는 금방 알 수 있었다. 해류였다. 잠수정은 해류를 타고 더 빠른 속도로 움직였다. 해류가 잠수정을 갑자기 위로 끌어올릴 때면 압력 센서에서 신호가 쏟아져 수미는 하늘에서 뛰어내린 것처럼 아찔한 기분을 느꼈다.

잠수정은 어느새 기지 근처에 다다랐다. 지금의 속도를 유지한다면 5분 만에 도착할 것이다. 가장 밝게 빛나는 구름충 무리는 여전히 잠수정 주변에 머무르고 있었다. 수압과 온도 때문에 잠수정의 얼음 표면이 조금씩 깎여 나가거나 녹으면 구름충이 몰려와 새로운 표면을 만들어 줬다. 그럴 때마다 미약한 열이 발생했다. 가끔 얼음 속에 갇힌 유로파의 바닷물이 잠수정의 진짜 표면에 닿았고 압력 센서는 바닷물의 온도와 밀도, 점도, 대략적인 성분 따위를 분석해 수미의 감각기관에 전달해 줬다. 수미는 유로파의 바다에 직접 몸을 담그기라도 한 것처럼 가슴이 두근거렸다. 경이롭고 미지로 가득 찬 외계 생명의 도움을 받아 따라 거대 바다 세계를 가로지르고 있다는 사실에 처음 느꼈던 두려움은 흔적도 없이 사라졌다.

'왜 지금까지 몰랐던 걸까?' 수미는 가끔 카메라 앞을 지나가는 구름충을 보며 생각했다. '구름충의 생태를 제법 오랫동안 관찰했었는데 신기한 플랑크톤 정도로만 알고 있었다니. 하지만 이런 모습은 여태 본 적이 없었으니까. 쟤들은 도대체 어떤 수준까지 발전한 걸까? 어떻게 생각을 하는 걸까? 왜 지금까지 이런 모습을 보여 주지 않은 걸까?'

구름충 무리가 모습을 바꿨다. 마치 주목하라는 듯 몇 가지 패턴의 빛을 반복해서 만들어 냈다. 수미에게 무슨 말을 하려는 건지, 아니면 그들의 단순한 습성인지는 알 수 없었다. 하지만 무언가를 해야 한다는 생각이 들어 수미는 일단 잠수정의 속도를 늦췄다. 얼음 천장에 지금까지 본 적 없는 양의 구름충이 모여 거대한 은빛 호수를 만들고 있었다. 그들 사이로 밝은 빛줄기가 복잡한 가지를 뻗으며 퍼져 나가길 반복했다. 빛과 전기로 서로 대화하고 있는 것처럼 보였다. '또 번개가 치려나 봐.' 잠시 두려움이 몰려왔지만 구름충 호수에 동심원 모양의 물결이 생기자 금세 호기심이 치고 올라왔다. 동심원 가운데서 은빛 소용돌이가 촉수처럼 뻗어 나오기 시작했다. 소용돌이 끝이 짤막하게 여덟 개로 갈라졌다. 구름충이 손을 내밀어 수미를 직접 만지려는 것처럼 보였다. 구름충이 만드는 은빛 팔은 반투명했고 그 속에서는 형형색색의 빛줄기들이 빠르게 수많은 패턴을 만들고 퍼져 나가기를 반복했다. 수미는 그 빛과 패턴에 묻어나는 의식과 의지를 느낄 수 있었다. 구름충의 모습으로 유로파 바다를 뒤덮고 있는 거대한 지성체는 수미에게 말을 걸고 있는 것이다. '세상에. 세실리아, 마야. 모두 이걸 봐야 하는

데!' 수미는 자꾸만 흐릿해지는 의식을 힘겹게 붙잡으며 눈앞의, 아니 카메라가 보여 주는 광경을 최대한 기억하기 위해 노력했다. 깨어나자마자, 깨어날 수 있다면 두 사람에게 어떻게 설명하면 좋을지 생각하며 적당한 어휘들을 고민했다.

가장 강력한 네 번째 번개가 내리치는 순간, 은빛 손끝이 잠수정에 닿았다. 수미의 의식은 잠수정을 벗어나 유로파 바다 전체로 흘러갔다.

수미는 이제 문장을 떠올릴 수 없었다. 시간을 느낄 수도 없었다. 구름층 무리에서 빠져나온 일과 잠수정 선착장에 도착한 일, 헬족이 담긴 샘플 보관함을 화물 엘리베이터로 올려 보낸 일, 샘플 보관함이 격리실에 도착한 것을 확인한 일, 그리고 지금 이 순간의 일까지 모든 사건이 동시에 일어나고 있는 것만 같았다. 모든 사건이 아직 일어나지 않은 먼 미래의 일인 것 같기도 했다. 어쨌거나 지금 수미가 할 수 있는 건 그저 생각하는 것, 혹은 생각하고 있다고 믿는 것뿐이었다.

슬펐다. 수미를 슬프게 하는 건 마지막 순간이 다가왔다는 사실도, 자신이 어쩌면 정말로 수미의 유사 의식에 불과할지도 모른다는 의심도 아니었다. 자신이 방금까지 보고 겪은 것을 두 사람과 나눌 수 없다는 게 슬펐다. 수십만 년에 한 번씩 거대한 번개가 덮칠 때마다 잠깐 동안 깨어나는 유로파의 또 다른 주인에 대해, 그것이 자신에게 보여 준 웅장한 시간과 경이로운 진화의 역사에 대해 얘기할 수 없다는 게 슬펐다. 모든 정보가 잠수정의 메모리 혹은 자신의 죽어 가는 뇌에만 기록될 것이라는 게 슬펐다.

이제 수미는 기지에 남아 있는 두 사람의 안전만을 바랐다. 부디 무사히 지구로 돌아갈 수 있기를. 수미는 남아 있는 의식을 모두 끌어모아 힘겹게 문장을 만들었다.

'세실리아, 마야.'

마지막이 다가왔다.

'여기서 기다릴게.'

기다리는 이들의 박물관

마야 에그너는 트램에서 내려 광장에 들어섰다. 새벽에 내린 비 때문에 광장 돌바닥은 축축하게 윤기가 났다. 이제 막 점심 식사를 마친 사람들이 만족스러운 얼굴로 광장을 가로지르고 있었다. 광장을 둘러싼 고풍스러운 파스텔 톤의 건물들 아래에 선 느긋하게 커피를 마시며 대화를 나누는 사람들이 눈에 띄었다. 커피 향기와 비 냄새, 그리고 정오의 온기가 섞여 코를 자극했다. 마야는 이 감각이 평생 이 공간의 이미지로 남을 것이라고 확신했다.

마야는 주머니에서 반으로 접힌 엽서를 꺼내 펼쳤다.

'광장 가운데에 동상이 있어요. 칼을 든 채로 말을

타고 있는. 말 꼬리 뒤에서 기다리고 있을게요. - 릴랴나.'

그냥 동상 뒤라고 하면 될 걸 왜 굳이 말 꼬리 뒤라고 한 걸까. 마야는 그것이 릴랴나 이반코비치 박물관장의 낯선 유머 감각일 거라고 짐작하며 동상을 향해 걸었다. 말 꼬리 뒤에는 네 단밖에 되지 않는 계단이 있었는데 이미 많은 사람들이 계단에 앉아서 누군가를 기다리고 있었다. 계단은 마른 것처럼 보였기에 마야는 안심하고 앉았다.

평일 낮인데도 광장은 생각보다 붐볐다. 모두 관광객인가 싶었지만 동상 받침대에 등을 기댄 채 교과서를 읽고 있는 자그만 체구의 대학생을 보니 그렇지만도 않은 것 같았다. 아기 손가락 두께만큼 두꺼운 안경을 쓴 그 학생은 책에 얼굴을 거의 파묻고 있었다. 마야는 동상을 보는 척하면서 책의 제목을 슬쩍 읽었다. '우주 재진출의 정치학'.

왜 굳이 사람이 위험한 우주로 나가야 하는 걸까? 마야는 이해가 되지 않았다. 우주 상주인구가 한때는 1만 명을 넘겼었다는 걸 배워서 알고는 있지만 먼 과거의 일처럼 느껴져 실감이 나지 않았다. 하지만 고작 50년 전이었다. 그리고 지난 50년 동안 우주로 나간 사람은 아무도 없었다. 요즘 지구 밖으로 나가는 건 인공위성과 채굴선, 그리고 우주 유물을 조사하는 탐사선밖에 없었다. 당연히 모두 무인 장비였다.

이마가 묘하게 뜨거워진다는 느낌에 고개를 살짝 드니 책을 든 대학생이 마야를 바라보고 있었다. 마야는 서둘러 고개를 돌려 봤지만 소용이 없었다. 대학생이 책을 덮고 다가오기 시작했다. 결국 마야는 멋쩍게 웃으며 시선을 마주할 수밖에 없었다.

"에그너 씨? 마야 에그너죠?"

마야는 벌떡 일어났다. 계단 어딘가에 숨어 있던 물기에 바지의 엉덩이 부분이 젖어 버렸지만 그런 데 신경을 쓸 겨를이 없었다. 이곳에서 자신을 알아볼 사람은 한 명뿐이었다. 하지만 눈앞에 있는 사람은 박물관 관장이라기에는 너무 어려 보였다. 자기 후배라고 해도 믿겠다 싶을 정도였다. 하지만 다른 가능성은 없었다.

"혹시 릴랴나 이반코비치 관장님이신가요?"

릴랴나는 활짝 웃으며 되물었다.

"여기서 만날 사람이 저 말고 더 있었나요? 릴랴나라고 불러요."
"마야입니다. 몰라봐서 죄송해요."

마야는 식은땀에 등허리가 축축해지는 것을 느끼며 벌떡 일어나 일단 악수를 하기 위해 손을 내밀었다. 하지만 릴랴나는 그 손을 보고도 한 발짝 더 다가와 마야를 가볍게 안았다. 릴랴나가 등을 두 번 두드리자 마야의 긴장은 처음부터 없었던 것처럼 사라졌다. 다시 릴랴나의 얼굴을 마주했을 때, 안경 너머로 보이는 릴랴나의 홍채에 세 가지 색 얼룩이 있다는 걸 발견했다. 빨간색과 녹색, 옅은 갈색의 배치 때문에 눈동자에 자그만 무지개가 드리운 것처럼 보였다. 태아 단계에서 특정 종류의 유전자 편집 치료를 받았을 때 나타나는 부작용이라고 들은 적이 있었다. 심각한 시력 저하 역시 그 부작용 중 하나였다.

"너무 부러워하진 마요. 수술할 수도 없는데 안경은 또 엄청 무겁거든요."

릴랴나가 마야의 눈동자를 마주 바라보며 말했다. 마야는 자신의 무례를 깨닫고는 어색하게 웃으며 고개를 숙였고, 릴랴나는 신경 쓰지 말라며 마야의 팔을 가볍게 어루만졌다. 릴랴나가 책을 백팩에 집어넣었고, 두 사람은 시선을 한 번 마주치고는 광장 북쪽에 있는 구도심을 향해 함께 걷기 시작했다.

녹색과 베이지색이 깔끔하게 어우러진 기념품 가게 골목을 지나자 우아한 두 개의 탑이 솟아오른 대성당이 나타났다. 대성당 앞에 세워진 높은 기둥 위에는 금빛 성모가 서 있었는데, 성모는 속을 알 수 없는 표정으로 아래를 내려다보고 있었다. 릴랴나는 이 대성당이 세계 대기근 때 거대한 식량 창고로 쓰였다고 설명했다.

“그땐 살기 위해 십자가 아래에 모일 수밖에 없었죠. 당시에 사람들이 여기 올 때마다 기도를 했다면 구세주가 다음 부활지로 아마 여기를 골랐을 거예요.”

릴랴나는 고개를 한 번 갸우뚱하고는 자그맣게 덧붙였다.

“그리 틀린 말은 아닐지도.”

마야는 무슨 뜻인지 물으려고 했지만 릴랴나가 곧장 다른 건물들에 대한 설명을 이어 나가는 바람에 그러지 못했다. 이색적인 카페와 식당들을 지나치며 작은 골목을 몇 번 통과한 릴랴나가 마야의 손목을 잡으며 말했다.

“이제 곧 대포를 쏠 거예요. 이리 와요.”
“대포라고요?”

릴랴나의 가벼운 발걸음을 따라 골목 끝에 이르러 구도심과 신도심 전체가 내려다보이는 전망대에 도착했다. 새벽에 내린 비 덕분에 도시 외곽에 있는 산까지 어렴풋이 보였다. 돌담 위에 앉아 사진을 찍는 사람도 있었는데 대부분 지난 세기의 다용도 전자기기 사용이 어색한 듯 시행착오를 반복했다. 다른 관광지에서 흔히 볼 수 있는, 허공에서 검지와 엄지를 맞부딪치며 눈앞의 시각 정보를 그대로 개인 기억 보관함에 보내는 사람은 없었다.

마야는 그제야 자신이 지금 21세기 초기 문화 보존 지역에 있다는 걸 떠올렸다. 릴랴나와 엽서를 주고받은 것도, 노면전차를 타고 여기까지 온 것도, 릴랴나가 두꺼운 종이책을 들고 다니는 것도 그 때문이었다. 이곳에선 허가 없이 현대 기술을 사용할 수 없었다. 그야말로 과거를 살아가는 곳이었다. 마야는 자신이 아무런 위화감 없이 이곳에 녹아들었다는 사실이 제법 마음에 들었다.

"위를 봐요."

릴랴나가 말했다. 전망대 뒤에 있는 탑 꼭대기 창문에 정말 대포 하나가 튀어나와 있었다. 마야가 미처 상황을 이해하기도 전에 포탄이 터졌다. 대포 소리는 마야가 지금까지 들어 본 소리 중 가장 요란스러웠다.

"옛날에는 정오에만 한 번 쐈었어요. 하지만 지금은 세계가 함께 위기를 벗어난 걸 기념하기 위해 오후 1시에도 한 번 쏘고 있어요."

두 사람은 화약 연기가 완전히 옅어질 때까지 잠시 조용히 기다렸다. 대포가 창문 안쪽으로 사라지자 릴랴나가 다시 발걸음을 옮기며 말했다.

"저 개인적으로는 두 번째 대포가 그 사람을 위한 것이라고 생각하고 있지만요."
"누구요?"

"마야 벨 버넬. 당신이 찾고 있는 사람. 당신 할아버지가 그분과 함께 일했었죠?"

마야는 릴랴나의 뒤를 따라 걸었다.

"같이 일을 했다기보다는, 벨 버넬 박사를 지구행 우주선에 태우는 게 저희 할아버지의 일이었죠. 그 우주 거미도 같이."
"당신 이름인 '마야'는 그분 이름에서 따온 건가요?"
"아마도요. 저희 어머니가 그때 다섯 살 남짓의 남자아이였는데, 퀴수 바이러스의 초기 인간 감염자였거든요. 벨 버넬 박사가 없었다면 전 태어나지도 못했겠죠."
"그래서 그분을 찾고 있는 건가요?"
"졸업 연구 주제가 마지막 우주 근로자들의 삶에 대한 거라서요. 기왕이면 인연이 있는 분부터 시작을 하고 싶어서 찾아봤더니…"
"5년 전에 여기서 숨을 거두셨죠."

마야는 고인을 추모하기 위해 잠시 고개를 숙였다. 돌바닥 위로 자기 발이 움직이는 걸 보며 문득 언젠가 이 길을 지나갔을 마야 벨 버넬의 걸음을 떠올렸다.

다시 고개를 든 마야가 물었다.

"벨 버넬 박사가 가장 먼저 밟은 지구 표면도 여

기였죠? 그때 행성 간 우주선이 착륙했던 지점이 어디였나요?"

"남쪽 해변이에요. 그분은 우주선에서 1년 동안 머무르면서 우주선을 생존 공장으로 만드는 일에 관여했죠. 덕분에 여기 사람들이 살아남을 수 있었고요."

"그분에겐 이곳이 지구의 첫인상이었겠네요."

"그래서 마지막에 다시 돌아온 걸지도 모르죠."

가벼운 바람이 불자 릴랴나의 머리카락이 얼굴을 가렸다. 마야는 앞으로 내려온 머리카락을 뒤로 정리하는 릴랴나를 보며 말했다.

"다시 우주로 돌아가고 싶으셔서 돌아왔을지도 모르겠네요."

"그럴 수 없을 거라는 건 아셨어요. 우주로 다시 나갈 날이 오기 전에 자기 몸이 망가질 거라고 농담처럼 말씀하시고는 했죠. 마지막 몇 달 동안은 휠체어에서 내리기도 어려워하셨어요. 그래도 정신적으로는 하나도 늙지 않았다면서 여기 아이들에게 우주 이야기를 잔뜩 해 주셨어요."

릴랴나는 몇 걸음 더 걷더니 카페와 기념품 가게 사이에 끼어 있는 자그만 하얀색 건물 앞에서 멈췄다. 그리고 마야를 돌아보며 말했다.

"여기예요. 박물관."

"생각보다 작네요."

마야는 무심코 튀어나온 말에 스스로 잠시 당황했지만 릴랴나는 그 말이 나올 줄 알았다는 듯 웃는 얼굴로 말했다.

"여기엔 독특한 주제의 작은 박물관이 많아요. 초콜릿 박물관에 숙취 박물관, 이별 박물관도 있어요. 최근엔 거짓말쟁이 박물관이란 곳도 생겼고요. 어디든 한번 가 봐요. 재밌을 거예요."

마야는 미소를 지으며 문도 없이 뻥 뚫린 입구 위에 있는 자그만 글씨를 읽었다.

〈기다리는 이들의 박물관〉

'기다리는' 앞에는 삽입 표시와 함께 더 작은 글씨로 '아직도'라는 말이 덧붙어 있었다.

"저건 뭐죠?"

마야가 박물관 옥상에 달린 다양한 모양의 안테나를 가리키며 물었다.

"공공 이용 우주 신호 수신장치예요. 원한다면 누구나 무인 탐사선들이 보내는 신호를 받아 볼 수 있어요. 근처 공과대학이 이 위치가 좋다며 부탁해서 설치했어요."

릴랴나는 박물관 안에서 마야를 향해 손짓하며 이어 말했다.

"들어와요. 마야가 찾는 건 박물관 제일 안쪽에 있어요."

박물관 내부는 생각보다 넓었고 입구 가까이에 있는 매표소와 기념품 가게에는 제법 사람이 많았다.

릴랴나는 직원에게 들어간다며 커다랗게 손 인사를 하고는 마야에게 말했다.

"기념품은 나갈 때 몇 개 챙겨 줄게요."

전시실은 마치 친절한 미로 같았다. 공간 대부분은 작은 전시물이 진열된 좁은 복도였고 가끔 큰 전시물을 위한 넓은 공간이 나타났다. 전시물 자체는 대부분 일상적인 물건들이었고 사람들의 시선을 끄는 건 전시물보다는 그 옆에 붙어 있는 기다림의 사연이었다.

릴랴나는 복도를 걸으며 전시물 일부에 대해 간단히 설명했다.

"집을 나가 버린 가족이 곧 돌아오겠다며 남긴 메모, 함께 하룻밤을 보내고 다시 만나자 약속했지만 이름도 연락처도 몰라 결국 엇갈려 버린 연인의 깨진 안경, 여행 중에 실종된 친구와 함께 만든 여행 계획표. 모두 기다리는 사람들이 맡긴 물건이에요. 기다리던 이를 만나거나, 기다리기를 그만두는 날에는 반환과 폐기 중 하나를 선택할 수 있어요. 적어도 여기에 물건이 남아 있는 동안에는 다들 여전히 기다리고 있는 거죠. 실제로 기다리는 사람이 돌아올 가능성이 있든 없든, 이 공간과 물건들은 아직 누군가가 기다리고 있다는 상징이자 약속이에요."

"실제로 전시물을 돌려준 적이 있나요?"

"없어요. 폐기한 적도 없고요. 그럴 일이 없었거든요."

릴랴나가 관계자 외 출입 금지라고 적힌 문 앞에 멈춰 서더니 구석에 있던 작은 구멍에 열쇠를 꽂았다. 그러자 문이 열리고 아래로 내려가는 계단이 나타났다. 릴랴나는 다른 관람객의 관심을 끌지 않도록 주의하며 마야를 향해 살짝 손을 내밀었다. 마야에겐 릴랴나가 마치 미지의 세계로 자신을 안내하는 작은 요정처럼 보였다.

"지금 전시 중인 물건들은 전체 소장품의 15%밖에 되지 않아요. 다른 25%는 세계 각지에서 순환 전시 중이고, 나머지 60%는 여기 창고에서 쉬고 있어요."

마야는 호기심 어린 눈빛으로 물건들을 살폈다. 가끔 신기한 물건이 보이기는 했지만 대부분 좀 낡았을 뿐인 일상용품이었다. 그래서 그 속에 담긴 사연들이 더욱 궁금해졌다.

마야가 작은 배 모형을 향해 손을 내민 순간, 릴랴

나가 벽에 있는 스위치를 눌러 창고 끝에 있는 조명을 켰다. 눈부시게 빛나는 조명 아래의 단독 진열장에는 마치 모든 빛을 흡수하는 구멍 같은 검은 직사각형이 놓여 있었다.

"저건가요?"

마야의 물음에 릴랴나는 말없이 고개를 끄덕였다. 릴랴나는 마야 뒤에 있었기에 마야에게는 그 행동이 보일 리 없었지만 마야는 어차피 답을 알고 있었다.

마야는 검은 직사각형 앞으로 다가갔다. 손가락이 닿으면 베일 것 같은 날카로운 모서리를 가진 얇고 평평한 물체. 마치 커다란 도미노 조각 같았다.

마야는 기묘한 광택이 나는 검은 표면을 바라보며 말했다.

"아서."

전자두뇌 기반 현장 연구용 인공지능 아서 Ver.0.9.992는 반응하지 않았다. 대신 릴랴나가 옆으로 다가와 말했다.

"더 이상 작동하지 않아요. 그분도 아쉬워하셨어요. 이곳 생존 공장의 완전 자율화가 끝나고 폐기되려던 걸 그분이 회수한 뒤에 절 찾아와서는 여기서 맡아 달라고 하셨어요. 제가 여기 기념품 가게에서 아르바이트를 할 때였어요. 그분은 아서를 여기 맡기고 나서 매일 찾아오셨어요."

"뭘 기다리신 거죠?"

"글쎄요. 그분은 설명 없는 전시를 요청하셨어요. 아마 인류가 다시 우주로 나가게 될 날이 아닐까요?"

마야는 광장에서 릴랴나가 읽고 있던 책의 제목을 떠올렸다. 혹시 릴랴나도 우주로 나가고 싶은 걸까? 알 수는 없었지만 분명 관심은 있어 보였다.

릴랴나가 마야의 허리를 두 손으로 잡고는 조금 옆으로 이동했다. 마야는 갑작스러운 접촉에 놀랐지만 무슨 이유가 있을 거라 짐작해서 내색을 하지는 않았다.

릴랴나가 마야의 바로 뒤에서 말했다.

"여기예요."

"혹시… 벨 버넬 박사가 사망한 자리인가요?"

"저는 마지막 숨을 내쉰 곳이라고 하고 싶네요."

릴랴나는 그렇게 말하며 깊은 숨을 한 번 내쉬었다. 따뜻한 바람이 마야의 목을 스치고 지나갔다. 릴랴나가 이어 말했다.

"여기에 있던 의자에 앉은 채 편하게 눈을 감으셨어요. 마치 잠을 자는 것처럼."

"그때 같이 있었나요?"

"네. 그분의 부탁을 들어 드리고 있었어요."
"어떤 부탁이요?"

마야가 귀 기울여 듣겠다는 표정으로 뒤를 돌아보자 릴랴나는 속을 알 수 없는 웃음을 짓다가 말했다.

"많은 부탁을 하셨죠. 주로 이런저런 물건을 구해 달라는 거였어요. 비용 걱정은 하지 말라면서. 한번은 수십 년 전 우주에서 원격 탐사를 할 때 쓰이던 장비를 구해 달라고 하는 게 아니겠어요? 자그만 마을 박물관에서 일하는 사람한테! 뭐, 어떻게든 구해 드리긴 했지만."

마야는 릴랴나를 향해 돌아섰다. 마야가 듣고 싶어 하는 건 그게 아니란 걸 릴랴나도 알았다. 하지만 일부러 뜸을 들이고 나서야 말했다.

"마지막 부탁은… 말할 수 없어요. 미안해요."
"괜찮아요."

서로를 마주 보는 동안 어색한 침묵이 흘렀다. 하지만 마야는 그 침묵이 썩 불편하지 않았다.

마야가 다시 아서를 향해 몸을 돌리며 말했다.

"만져 봐도 될까요?"
"물론이죠."

마야는 아서의 표면 위에 다섯 손가락 끝을 얹었다. 차가울 거라고 생각했지만 미지근했다. 분명 금속으로 된 표면이었지만 금속이라는 느낌이 전혀 들지 않았다. 마야는 자기도 모르게 누군가의 얼굴을 어루만지듯 손으로 아서의 표면을 훑었다.

"마야는 그분을 직접 만난 적이 있나요?"

릴랴나의 물음에 마야는 아서와 닿았던 손을 거두며 기억을 되짚었다. 어렴풋한 모습으로, 하지만 분명하게 떠오르는 누군가의 얼굴이 있었다.

"아주 어렸을 때 몇 번 만났다고는 하는데 기억이 잘 나지는 않아요."

"아직 건강하셨을 때일 거예요. 세계를 돌아다니며 행성 간 우주선을 더 나은 생존 공장으로 분해하고 개조하는 데 기여하면서도, 언젠가 다시 우주로 나갈 날을 준비해야 한다며 쉬지 않고 정치인들을 설득하고 다니셨죠. 참 모순적인 분이었어요. 그러다가 지구 부적응 증후군이 심해져서 결국 은퇴를 하고 여기로 왔고. 여기서 잘 지내셨는데 어느 날부터 갑자기 몸이 빠르게 나빠지기 시작했어요. 제게 이것저것 구해 달라고 부탁하신 것도 그때부터였던 것 같네요."

릴랴나는 무언가를 떠올린 듯 아서 주변에 있는 선반 위 물건들을 한 번 훑고는 시선을 아래로 떨구었다.

마야 벨 버넬의 삶에 대해서는 마야도 제법 알고

있었다. 하지만 릴랴나의 목소리에는 그저 유명인의 삶을 읊는 것 이상의 무언가가 있었다. 릴랴나에게 마야 벨 버넬은 단순한 전시품 기증자가 아니라는 걸 마야는 확신했다.

"당신에게 마야 벨 버넬 박사는 어떤 사람이었나요?"

마야가 물었고 릴랴나는 망설임 없이 대답했다.

"그분은 제 어머니였죠."

설마. 마야는 긴장했다.

"음, 엄밀하게는 1.4%의 어머니이려나요."

뭐라는 거야. 마야는 당황했다.

"그분처럼 저도 두 어머니에게서 태어났어요. 그런데 인공 포궁 속에 있을 때 제 유전자에 결함이 있다는 게 드러났어요. 의사들이 처음 보는 종류의 결함이라 치료가 어려웠다고 해요. 그러던 어느 날 저중력 환경에서 수정되고 동성 생식으로 태어난 사람 중 일부가 그 결함을 대체할 수 있는 유전자 조합을 갖고 있다는 게 알려졌죠. 마야 벨 버넬은 우주에서 동성 생식으로 태어난 마지막 사람이었고요."

마야는 릴랴나의 삼색 눈동자를 바라봤다. 릴랴나는 두꺼운 렌즈 무게 때문에 내려온 안경을 잡아

올리고는 계속 말했다.

"제 유전자 속의 결함이 있던 부위는 제거되었고 그 자리에 마야 벨 버넬만이 갖고 있는 유전자가 삽입되었어요. 그러니까, 저를 구성하는 비율은 각자 좀 다르더라도 제겐 세 명의 어머니가 있는 거죠."

마야는 학생 시절 세 개체끼리 짝을 짓는다는 유로파의 생명체에 대해 배웠던 일을 떠올렸다. 릴랴나는 아서를 바라보며 말을 이었다.

"그분은 당신의 어머니를 구한 것처럼, 저도 구하셨어요. 그래서 저는 그분의 부탁을 들어 드리기로 했어요. 그게 무엇이든. 남극의 얼음을 구해 달라고 했다면 남극까지 다녀왔을 거예요."

릴랴나는 농담인지 진담인지 알 수 없는 말 끝에 짧은 웃음을 흘리고는 입을 다물지 못하고 있는 마야를 바라보며 덧붙였다.

"그분도 당신을 다시 만나고 싶어 하셨어요."
"저도요."

마야가 다시 한번 아서를 어루만지려던 순간, 아서 뒷면에 연결된 여러 개의 케이블이 마야의 눈에 들어왔다. 자세히 보니 케이블 단자 규격은 비교적 최근 것이었고 이 케이블들은 몇 개의 어댑터를 거쳐 반세기 전 기술로 만들어진 아서와 연결되어 있었다. 케이블에는 먼지가 제법 쌓여 있었지만 일부에는 먼지를 닦아 낸 흔적도 있었다. 어떤 케이블은 방금 꺼낸 것처럼 깨끗했다. 케이블 반대편은 벽을 타고 천장 너머로 뻗어 나갔다. 아마도 옥상을 향해. 그리고 다시 그 너머를 향해.

릴랴나는 짐작하건대 거짓말을 했다. 적어도 모든 사실을 말하지는 않았다. 마야 벨 버넬이 아서를 이곳에 가져온 이후에도 아서는 작동했다. 모르긴 해도 최근까지. 어쩌면 여전히 작동하고 있을지도 모른다.

마야는 문득 조금 전 릴랴나가 지나가듯 훑었던 선반 속 물건들을 떠올렸다. 가까이 가서 보니 다른 전시품들과는 달리 사연이나 설명이 적혀 있지 않았다. 지난 세기의 휴대용 컴퓨터와 더 이상 쓰이지 않는 규격의 공구들, 그리고 용도는 알 수 없지만 적어도 머리를 보호하기 위한 건 아닌 게 분명한 헬멧. 마야의 눈에 들어온 건 헬멧 뒤에 있는 여러 개의 포트였다. 아서에 연결된 케이블의 단자를 꽂을 수 있는 규격이었다.

마야 벨 버넬의 마지막 부탁이 어쩌면…. 하지만 그건 금지됐을 텐데. 마야의 생각이 빠르게 흐르기 시작했다. 마야는 다시 아서를 바라봤다. 그리고 가까이 다가가 표면에 손을 얹으며 릴랴나에게는 들리지 않게 조용히 말했다.

여담, 혹은 이어지는 이야기

"마야 벨 버넬?"

손끝에 부드럽고 규칙적인 진동이 느껴졌다. 하지만 아마도 마야 자신의 맥박일 것이다. 마야의 심장이 뛰고 있을 뿐이다.

검고 매끄러운 표면 위에 마야의 모습이 비쳤다. 표면 속 마야는 바깥의 마야를 향해, 마야의 어깨 위에 손을 얹기 위해 팔을 내밀고 있는 것처럼 보였다.

어깨에 무겁고 뜨거운 손이 닿은 순간, 마야는 비명을 지르고 말았다.

"왜 그렇게 놀라요?"

릴랴나가 자기도 놀랐다는 듯 가슴에 손을 얹고 조금 거칠어진 숨을 가다듬었다.

"미안해요. 생각에 좀 빠져 있었나 봐요."

같이 숨을 고르는 마야를 보며 릴랴나는 특유의 미소를 짓더니 배를 어루만지며 말했다.

"배고프지 않나요? 점심 먹었어요?"

마야는 잠시 할 말을 잃고 머뭇거리다가 고개를 저었다.

"여기엔 괜찮은 식당이 꽤 많은데, 제가 특히 좋아하는 곳이 있어요. 같이 가요."

마야는 검고 매끄러운 직사각형 물체를 다시 바

라봤다. 처음 봤을 때 모습 그대로 가만히 서 있을 뿐이었다. 릴랴나가 재촉하듯 손을 잡자 마야는 릴랴나를 바라보며 대답했다.

"네, 같이 가요."

두 사람은 수많은 기다림의 물건과 사연 사이를 지나 계단을 올랐다. 컴컴한 창고에서 나와 새하얀 벽과 조명으로 둘러싸인 전시실로 다시 돌아오자 마야는 마치 심우주라도 탐험하고 나온 것만 같았다. 우주에 나가는 게 그리 나쁘지만은 않을 것 같다는 생각도 문득 들었다.

기념품 가게로 돌아왔을 때, 릴랴나는 약속한 대로 기념품이 가득 든 종이 가방을 마야에게 선물하며 말했다.

"저는 정리할 일이 좀 있어서 바로 가지는 못하고, 먼저 가 있을래요? 가까워요. 여기 가게 명함. 뒤에 있는 그림이 예쁜 데다 향도 나서 갈 때마다 몇 장씩 들고 오곤 해요."

릴랴나는 작고 네모난 종이를 내밀었다. 앞면에는 가게 이름과 주소가 적혀 있었고 뒷면에는 커다란 나무 하나와 그 아래에서 서로 다른 방향을 바라보고 있는 고풍스러운 옷차림의 세 여자가 그려져 있었다. 우르드, 베르단디, 스쿨드. 과거, 현재, 미래를 관장하는 여신들.

여담, 혹은 이어지는 이야기

마야는 왠지 낯설지 않은 세 여신들의 얼굴을 지긋이 내려보다가 다시 릴랴나를 올려다봤다. 커다란 안경 렌즈 안쪽의 삼색 눈동자가 두꺼운 얼음 속 무지개처럼 보였다.

릴랴나는 전시실을 향해 천천히 돌아가며 말했다.

"〈노르니르〉라는 곳이에요. 가게 앞에 커다란 나무가 있어서 금방 찾을 수 있을 거예요."

마야는 네모난 종이에 배인 향을 맡으며 말했다.

"나무 밑에서 기다릴게요."

작가의 말

〈위그드라실의 여신들〉과 〈위대한 침묵〉은 소설집 《위대한 침묵》[54]에 실렸던 이야기다. 여러 가지 사정으로 《위대한 침묵》의 출판계약을 해지하게 되었다고 SNS에 밝히자마자 안전가옥에서 연락이 왔다. 사실 이 이야기들과 안전가옥과의 인연은 이번이 처음이 아니다. 5년 전, 소설집 《위대한 침묵》의 출간을 제안하고 편집을 담당했던 출판사 편집장이 바로 지금의 안전가옥 테오 PD이다. 그때 편집장과 처음 만나 계약서를 검토했던 곳이 당시 연무장길에 있던 안전가옥이었다. 이후 책이 나오자 안전가옥에서 대담회를 제안했다. 처음으로 작가로서 독자와 대면한 행사였다. 그러니 이 두 작품이 안전가옥에 안착을 하게 된 건 제법 자연스러운 일이었을지도 모른다.

54 해도연 지음, 《위대한 침묵》, 그래비티북스, 2018.

〈위그드라실의 여신들〉에는 언급해야 할 수정 사항이 있다. 목성의 얼음 위성 이름을 유로파로 고쳤다. 에우로파라는 이름에 대한 애착 때문에 작품을 처음 발표했을 당시엔 그 이름을 일부러 고집했다. 이 달에게 정당한 이름을 돌려준다. 그리고 작품 속에 등장하는 병원체의 이름을 퀴수 바이러스로 바꿨다. 이 이야기를 쓴 지 1년 반 뒤에 코로나19가 세상을 휩쓸었고, 질병 이름에 지역명을 넣는 것이 위험하고 부당한 일이라는 걸 알게 되었다. 참고로 우주 병원체의 새로운 이름은 어떤 작품에 대한 작은 헌사다.

〈위그드라실의 여신들〉은 아서 C. 클라크가 《2010 스페이스 오디세이》[55]에서 유로파를 묘사한 '심연의 불길'이라는 표현에서 영감을 얻었다. 〈위대한 침묵〉은 제레미 번스타인의 에세이 〈플루토늄을 이해하고 있다는 착각〉[56]과 아이작 아시모프의 〈죽은 과거〉[57]를 읽고 생각했던 '위험한 착각'과 '돌이킬 수 없는 선택'이라는 주제를 엮은 결과 탄생했다.

새롭게 들어간 〈여담, 혹은 이어지는 이야기〉는 원래 짧은 여담(餘談)이었다. 본 줄거리와 관계없이 흥미로 하는 딴 이야기, 영화로 비유하자면 쿠키 영상 정도의 존재가 될 예정이었다. 쓰고 보니 어지간한 단편보

55 아서 C. 클라크 지음, 이지연 옮김, 《2010 스페이스 오디세이》, 황금가지, 2017.
56 존 브록만 엮음, 이영기 옮김, 《위험한 생각들》, 갤리온, 2007.
57 아이작 아시모프 외 지음, 홍인기·정영목 옮김, 《마니아를 위한 세계 SF 걸작선》, 도솔, 2002.

다 긴 결과물이 나와 버렸다. 하지만 여전히 여담이다. 본이야기는 이 여담이 없어도 작동한다. 이 여담은 본이야기 없이는 작동하지 않는다. 하지만 이어지기 때문에 기왕이면 둘 다 작동하면 좋다. 그런 이야기다.

기존의 계약 정리를 헌신적으로 도와준 그린북 에이전시, 갈 곳을 잃을 뻔한 이야기에게 새로운 기회를 준 안전가옥과 그 멤버들, 거친 문장을 꼼꼼히 들여다보며 섬세하게 다듬어 준 이혜정 편집자에게 감사를 전한다. 그리고 새벽마다 의자를 덜거덕거리며 키보드를 두드리는 나를 견뎌 주는 가족에게도. 그새 가족이 하나 더 늘었다.

2023년 여름

해도연

프로듀서의 말

《위그드라실의 여신들》은 앞서 작가 후기에서 해도연 작가님께서 말씀해 주셨다시피 2018년 출간되고 2022년에 절판되었던 작가님의 작품집 《위대한 침묵》에서 〈위대한 침묵〉, 〈위그드라실의 여신들〉 이렇게 두 편의 이야기를 가져오고 신작 〈여담, 혹은 이어지는 이야기〉를 담아 새롭게 재출간하는 작품집입니다.

몇 년 전, 저는 〈위그드라실의 여신들〉의 최초의 독자였습니다. 그때 느꼈던 경이감을 결코 잊지 못하고 있습니다. 목성의 위성 유로파에 실제로 존재할 것만 같은 생태계와 그들만의 색다른 문명을 작품 속 주인공들과 함께 탐색하고, 탐험하며 인류의 위기를 해결하는 여정에 깊이 빨려 들어갔었습니다. 시간이 흘러 이번에 작품집을 준비하며 다시 읽어 봐도 여전히 그때 그 감정이 생생하게 전달되는 것을 느낄 수 있었습니다.

위그드라실은 북유럽신화에서 세계와 세계를 연결하는 아주 거대한 물푸레나무를 일컫는 말입니다. 위그드라실이란 이름보다는 세계수(世界樹)라는 명칭으로 널리 알려져 있습니다. 이 나무의 의미가 조금씩 확대되어 모든 세계를 담아냄으로써 탄생과 성장, 죽음과 재생의 순환을 상징하게 되었기 때문에 '생명의 나무'라고도 불립니다.

신화 속에서 위그드라실은 세계의 종말인 라그나로크 때 불길에 휩싸여 타 버리고 맙니다. 그러나 가장 깊은 가지 속에서 두 사람이 살아남았고 그들이 바로 새로운 인류의 조상이 됩니다. 《위그드라실의 여신들》은 신화 속 위그드라실처럼 새로운 의미로 재탄생되어 다시 세상에 나오게 되었습니다.

그렇기에 원래 이 작품들을 좋아하셨던 분들에게는 새로운 즐거움을 줄 것이고, 처음 접하게 되는 분들에게도 색다른 즐거움을 선사해 줄 것이라 믿고 있습니다. 더불어 더 멀리 뻗어 나가, 더욱 많은 사람에게 사랑받는 작품집이 되기를 소망하고 있습니다.

마지막으로 현실과 비현실의 경계를 아득하게 벗어나 지금-여기의 우리를 다시금 생각하게 해 주는 《위그드라실의 여신들》 속 이야기의 여정과 모험에 기꺼이 함께해 주신 독자분들께 깊은 감사의 말을 전합니다.

안전가옥 스토리 PD

윤성훈 드림

위그드라실의 여신들

지은이	해도연
펴낸이	김홍익
펴낸곳	안전가옥

기획	안전가옥
콘텐츠 총괄	이지향
프로듀서	윤성훈
	고혜원 · 김보희 · 신지민
	이수인 · 이은진 · 임미나 · 황찬주
퍼블리싱	박혜신 · 임수빈
편집	이혜정
디자인	금종각(이지현 · 최세은)
서비스 디자인	김보영
비즈니스	이기훈
경영지원	홍연화

출판등록	제2018-000005호
주소	(04779) 서울특별시 성동구 뚝섬로1나길 5,
	헤이그라운드 성수 시작점 201호
대표전화	(02) 461-0601
전자우편	marketing@safehouse.kr
홈페이지	safehouse.kr
ISBN	979-11-93024-28-7
초판 1쇄	2023년 9월 13일 발행

안전가옥 쇼-트 시리즈

01 심너울 단편집 《땡스 갓, 잇츠 프라이데이》
02 조예은 단편집 《칵테일, 러브, 좀비》
03 한켠 단편집 《까라!》
04 전삼혜 단편집 《위치스 딜리버리》
05 《짝꿍: 듀나×이산화》
06 김여울 경장편《잘 먹고 잘 싸운다, 캡틴 허니 번》
07 설재인 단편집 《사뭇 강펀치》
08 김청귤 경장편 《재와 물거품》
09 류연웅 경장편 《근본 없는 월드 클래스》
10 범유진 단편집 《아홉수 가위》
11 《짝꿍: 서미애×이두온》
12 배예람 단편집 《좀비즈 어웨이》
13 하승민 경장편 《당신의 신은 얼마》
14 박에스더 경장편 《영매 소녀》
15 김혜영 단편집 《푸르게 빛나는》
16 김혜영 단편집 《그분이 오신다》
17 강민영 경장편 《전력 질주》
18 김달리 경장편 《밀림의 연인들》
19 전삼혜 단편집 《위치스 파이터즈》
20 강화길 단편집 《안진: 세 번의 봄》
21 유재영 경장편 《당신에게 죽음을》
22 해도연 단편집 《위그드라실의 여신들》